TUTO N°1

EMBRASSER COMME UNE DÉESSE

L'auteur

Brianna R. Shrum vit dans le Colorado avec son amoureux du lycée, devenu depuis son mari, et deux petits garçons hyperactifs, littéralement obsédés par les super-héros. Elle pense que le chai tea est la meilleure preuve que la magie existe et adore la romance, les sortilèges et tout ce qui est un peu étrange. Vous pouvez suivre son actualité sur Twitter : @briannashrum. *Tuto n°1 : Embrasser comme une déesse* est son deuxième roman.

Brianna R. Shrum

TUTO N°1

EMBRASSER COMME UNE DÉESSE

Traduit de l'anglais (États-Unis)
par Maud Ortalda

LUMEN

Titre original : *How to Make Out*

Édition originale : Sky Pony Press, une marque déposée
de Skyhorse Publishing, Inc., New York

Pour Bnikholq (alias : Nicole), mon April

Demandez le programme !

OCTOBRE

TUTO N°1 :
RÉSOUDRE UNE DIVISION COMPLEXE

Je préfère les endroits que je ne peux pas réduire en cendres.

Je n'ai pas pour habitude d'incendier des salles de classe, mais si on me laisse le choix entre résoudre une équation à plusieurs inconnues et déclencher l'alarme incendie en cours de cuisine, j'opte sans hésiter pour les chiffres. Donc, pendant que tout le monde mélange sa « belle » préparation – dixit le prof –, moi, je me ronge les ongles jusqu'aux os en priant tous les dieux de la gastronomie pour que le truc gélatineux qui macère dans un saladier sous mes yeux finisse enfin par se transformer – abracadabra ! – en gâteau. Pitié, pitié, pitié…

M. Cole passe devant ma table de travail en coup de vent, avec un petit grognement réprobateur. On dirait qu'il a peur d'être contaminé par ma grippe culinaire et de se retrouver relégué pour l'éternité à l'atelier menuiserie s'il s'attarde près de la moins douée de ses élèves.

— Mais on dirait de la gelée, ton truc ! lance une voix juste derrière moi.

Vexée, je ne me retourne pas. Je me contente de dire entre mes dents :

— C'est sympa, merci...

— Ne le prends pas mal, mais tu ne risques pas de terminer avec la moyenne, à ce rythme-là.

Je suis tellement désemparée que je riposte avec une ironie mordante.

— Mais je t'en prie, montre-moi comment on fait !

Je détache enfin les yeux de ma mixture (pour le moins visqueuse, il faut bien le reconnaître) pour me tourner vers mon détracteur, qui hausse un sourcil narquois. C'est bien ma veine, le pire scénario qui soit. Le génie culinaire du lycée en personne me fait l'honneur de se pencher sur ma préparation ! J'ai la bouche tellement sèche que j'en croasse presque.

— Ah... Euh... Seth, c'est ça ?

Bravo ma vieille ! Complètement ridicule... On s'est déjà parlé quelquefois en classe – bien sûr que je connais son nom ! Mais il acquiesce comme si de rien n'était.

Je marmonne dans ma barbe :

— Forcément, tu *sais* comment on fait, suis-je bête...

L'œil malicieux, il se marre. En même temps, ce garçon n'a qu'à couver du regard quatre œufs et un paquet de farine pour qu'en un éclair, le tout se transforme en une pièce montée de trois étages digne d'un grand pâtissier. (De la même manière qu'il lui suffirait d'un coup d'œil pour que n'importe quelle fille du lycée, ou presque, se déshabille dans la minute – moi y compris. Je dois avoir un faible pour lui depuis le collège, au moins. C'est débile, je sais, mais c'est comme ça.)

— Non mais… Ça a l'air… rattrapable, dit-il.

J'éclate de rire.

— Merci pour le qualificatif !

— Il te faut juste deux bonnes tasses de farine de plus, commence-t-il avant de se pencher pour ouvrir un paquet. Et peut-être…

Je le lui arrache des mains.

— Merci bien, mais je crois que je suis capable de faire un gâteau toute seule.

Il lève ses (magnifiques) yeux bruns au ciel et recule, les mains levées en signe de capitulation.

— Excuse-moi, je n'ai rien dit. Fais comme si je n'étais pas là.

Je pousse un grognement peu amène avant de revenir à mon bol. Cette histoire de farine m'agace, mais il a raison. Alors j'incline le paquet pour en ajouter une bonne dose à ma… oui, bon… à ma gelée.

Je perçois alors le discret bruit annonciateur de la tragédie, celui du papier qui se déchire. Et d'un seul coup, l'emballage s'ouvre en deux. Une avalanche de poudre blanche s'abat sur ma mixture dans un nuage qui recouvre toute la table. Immobile, paquet éventré à la main, je cligne des yeux, éberluée, devant mon récipient autrefois vert.

Du coin de l'œil, j'aperçois Seth qui rigole en douce et pianote sur le plan de travail du bout de ses doigts enfarinés. Avec un soupir, je me tourne vers lui.

— Eh ben voilà, tu as gagné ! Et moi je vais me faire recaler. J'ai presque vingt en maths, mais je ne suis pas fichue de décrocher la moyenne en cuisine !

Soudain inquiet, il jette un coup d'œil derrière moi. M. Cole, qui parcourt les rangées de tables, papier et stylo à la main, s'avance vers nous. *Game over.*

Quand je me tourne de nouveau vers ma table, le bol posé devant moi est… vert. Et la texture de la préparation, absolument parfaite. Une main inconnue a rapidement passé une éponge sur mon plan de travail. Ahurie, je cille plusieurs fois. Les divinités de la gastronomie auraient-elles entendu mes prières ? Mais je remarque aussitôt l'aspect plus que suspect du bol de Seth, couvert d'une fine poudre blanche et surmonté d'une petite montagne de farine. Quand je l'interroge du regard, il secoue discrètement la tête.

Le prof se plante derrière moi.

— Renley…

Il aurait dit « rat d'égout » en lieu et place de mon prénom qu'il ne l'aurait pas prononcé autrement. Je lui tends mon bol vert, tel un calumet de la paix d'un nouveau genre.

— Ça alors ! s'exclame-t-il avec un grand sourire en griffonnant sur sa feuille. Magnifique ! (Bien sûr que c'est beau, c'est du Seth Levine.) Peut-être as-tu trouvé ton domaine de prédilection, Renley, la pâtisserie !

Bouche bée, j'évite de regarder Seth qui, lui, tente avec la plus grande difficulté de ravaler un fou rire.

— Je… oui. Les gâteaux, c'est ma passion.

Le prof s'arrête ensuite devant la table voisine.

— Hmm… Seth. Qu'avons-nous là ? lance-t-il, perplexe.

— Mon paquet de farine s'est déchiré. Je suis plus doué avec une poêle à frire qu'avec un saladier, monsieur.

— Je veux bien le croire…

Il griffonne quelques remarques sur son papier sans se départir d'un sourire aimable. Inutile, à ses yeux, de chercher des noises au seul cuisinier du groupe un tant soit peu digne de ce nom !

Une fois que le juge de paix s'est éloigné, je me penche vers Seth pour murmurer :

— Je ne t'ai rien demandé… Je m'en serais très bien sortie toute seule !

Hilare, il mélange distraitement son monticule de farine. Il n'en croit pas un mot, bien sûr.

— Enfin, j'aurais été recalée. Mais… bon…

— De rien, fait-il, un petit sourire aux lèvres.

Je lève les yeux au ciel.

— En fait, j'avais mes raisons, finit-il par avouer à voix basse.

Mon cœur se met à battre un peu plus vite. Il est sérieux, là ? C'est un appel du pied ? Non, ne me dites pas qu'il me fait du rentre-dedans !

— Ah oui ? C'est-à-dire ?

C'est ça, des phrases courtes, Renley. Ça t'évitera de te planter en beauté…

— Comme je viens de te sauver la mise, tu pourrais peut-être me donner un coup de main à ton tour ?

Pendant qu'il fouille dans son sac à dos, tout un éventail de propositions indécentes me vient à l'esprit. Il finit par en sortir une feuille qu'il pose sur la table. Nooon, il n'est tout de même pas en train de me faire le coup du QCM ! « Renley, veux-tu sortir avec moi ? Coche la bonne réponse… » J'essaie désespérément de ne pas me laisser aller à un espoir improbable quand il déplie enfin le papier sous mon nez… Un contrôle de trigo. Orné, en haut de la page, d'une note catastrophique entourée en rouge.

— Tu es bonne en maths, Renley.

Ce n'est pas une question, juste une affirmation lancée pour la forme sur un ton vaguement interrogatif.

— C'est vrai.

— Alors, est-ce que…

Il n'ose pas en dire plus. Je scrute les équations, soudain beaucoup plus détendue. Mes épaules crispées se relâchent, mes pensées s'ordonnent plus clairement. Voilà : c'est ça, pour moi, le nirvana.

— Ah ! Je comprends ton problème, dis-je. Regarde, tu t'es planté dans la formule. A au carré plus B au carré égalent C au carré, pas C tout court.

Il me dévisage, hébété. Contre toute attente, et comme le voudrait pourtant ma théorie précédente, je n'éprouve pas le besoin soudain de me déshabiller. Je désigne les chiffres griffonnés de sa main sur la feuille.

— Tu vois ? C devrait être 4, pas 16. 16 c'est C au carré. Et 4, c'est sa racine.

— Aaah, d'accord ! s'exclame-t-il, penché sur le devoir. Donc là, j'aurais dû répondre 7, non ?

— Tu as tout compris.

Mon sourire s'avère curieusement détendu, étant donné le garçon à qui il s'adresse. Mais les maths, c'est magique. Enfin… pour moi en tout cas. Ravi, Seth range son devoir dans son sac.

— Tu es douée, tu sais. Tu devrais donner des cours de soutien.

— Oui, peut-être. J'y penserai.

Je tente de déterminer si une conversation sur le tutorat et le théorème de Pythagore peut, en cherchant bien, s'assimiler à une tentative de drague, quand M. Cole nous demande de ranger nos bols dans les réfrigérateurs qui habillent tout un pan de mur, puis de nettoyer la salle. Cette annonce met logiquement fin à mes réflexions enfiévrées.

Quelques minutes passent sans incident avant que ne retentisse la sonnerie. Alors que je me joins au flot d'élèves qui se déverse dans le couloir, j'ai juste le temps de voir Seth passer un bras autour de la Barbie de trois mètres de haut qui lui sert de copine avant de disparaître en sa compagnie d'un pas nonchalant.

Bon… J'ai la réponse à ma question.

Heureusement, mon humiliation n'a pas le temps de devenir publique puisque c'est la fin des cours et que les couloirs se vident à toute vitesse. Appuyée contre le mur, une main dans les cheveux, je tente de me débarrasser de ce qui ressemble fort – c'est ma journée ! – à une fine couche de farine… Puis, sac à dos serré contre la poitrine, j'attends qu'April pointe le bout de son nez.

À peine quelques minutes plus tard, mon inénarrable meilleure amie débarque d'un pas bondissant dans le couloir. Ses cheveux bruns et raides coupés au carré ondulent juste sous son menton. Elle me prend par le bras, et je jette mon sac sur mon épaule.

— Tu as vu ça ?

Elle me colle un papier bleu juste sous le nez, si bien que je dois me reculer pour pouvoir le lire.

— « Club de maths : voyage à New York ! »

Le mot « New York » me serre un petit peu le cœur, mais je fais comme si de rien n'était et j'adresse un sourire forcé à April. En règle générale, elle ne se laisse pas abuser une demi-seconde par ce genre de faux-semblants, mais aujourd'hui elle est à la limite de l'hystérie. Elle agite dans tous les sens le prospectus, que je me retrouve contrainte d'esquiver à plusieurs reprises pour ne pas me le prendre dans la figure.

— Oui ! Ça va être génial ! Le planétarium Hayden, le musée des Mathématiques, des visites de campus. Et puis tous les trucs de touristes : la statue de la Liberté, l'Empire State Building…

Beurk. D'un côté, génial : New York ! De l'autre… Ma mère habite là-bas avec sa nouvelle super famille parfaite et fantastique. Donc merci, mais non merci.

Je mets en sourdine le débat qui fait rage dans ma tête pour conclure :

— Ça a l'air top. Et hors de prix. Trois mille dollars, tu te rends compte !

— Et alors ? Lance une collecte de fonds !

Je secoue la tête.

— Oui, bien sûr… Sauf qu'au mieux ça me permettra de payer mes repas dans l'avion ! Laisse tomber, ce n'est même pas la peine d'y penser.

Sans compter que je ne suis pas certaine de supporter l'idée d'aller à New York… mais en revanche absolument sûre que ma mère ne daignera même pas interrompre sa folle journée pour consacrer deux ou trois heures de son temps à sa lointaine progéniture ! Bon, c'est aussi une question d'argent, en effet.

Contrariée, April se dirige à grands pas vers la sortie du lycée.

— Tu pourrais au moins y réfléchir plus de cinq secondes.

— Sérieusement, April. Mon père n'est pas Crésus, il n'a pas les moyens.

Elle ralentit un peu et pousse la porte à double battant avec un soupir.

— Je sais bien. C'est juste que ce voyage perd tout son intérêt si ma meilleure amie ne vient pas. Penche-toi un peu sur le sujet, au moins !

À mon tour de soupirer.

— D'accord…

Mais si je cède, c'est plus pour qu'elle me fiche la paix qu'autre chose. Je la serre brièvement dans mes bras en guise d'au revoir et file rejoindre Drew, qui me fait signe depuis le trottoir d'en face. Arrivée à sa hauteur, je ne ralentis pas, et on se met tous les deux à courir côte à côte.

— Alors, tu as survécu à Cole ?

— La preuve, je suis là !

Nos pieds martèlent le sol en rythme. Il a une foulée décontractée, comme s'il trottinait tranquillement, alors que la mienne est beaucoup plus précipitée. Je dois faire deux fois plus de pas que lui pour ne pas me laisser distancer.

— Au fait, tu es au courant pour New York ? enchaîne Drew.

— Difficile de l'ignorer : April vient de me supplier de l'accompagner.

— Et… tu vas y aller ? fait-il, hésitant.

Crispée, je halète entre chaque phrase.

— J'en doute.

Joignant le geste à la parole, je me frotte le pouce et l'index pour lui indiquer mon problème : l'argent. Il acquiesce, sourcils froncés comme toujours lorsqu'il est plongé dans une profonde réflexion, et nous terminons le trajet en silence et au pas de course.

Arrivés chez lui, nous sommes tous les deux en nage. Il a les cheveux collés au front et à la nuque, et je ne dois pas être beaucoup plus attirante.

— Tu entres ?

— O.K., dis-je, penchée en avant, les mains sur les genoux et le souffle court.

Je me redresse au bout d'une minute pour franchir le seuil.

— Ma mère est encore au boulot, ajoute Drew avec un clin d'œil appuyé.

Je fais mine de ne pas avoir compris et me dirige vers sa chambre. Voisins depuis dix ans, nous n'avons toujours été que de simples amis. Mais il a suffi d'un seul baiser, échangé près de la rivière quand on avait onze ans, pour qu'il ne cesse plus jamais de se faire des films et croie encore aujourd'hui que nous deux, c'est possible.

— Je vais prendre une douche, dis-je. Je suis vraiment crade. Et non, tu ne peux pas venir.

— Fais comme chez toi.

Il se met torse nu et s'affale sur son lit avec ses écouteurs.

— Je peux t'emprunter un T-shirt ?

— Je vais t'en chercher un. Au fait, je crois que tu as oublié quelque chose, la dernière fois.

Il me tend un minishort rose à vomir qui ne m'appartient pas le moins du monde. Je secoue la tête.

— Pas à toi ? demande-t-il avec un sourire démoniaque. Ah bon… Il doit être à quelqu'un d'autre, alors. Mais je suis sûr qu'il t'ira comme un gant !

— Voilà, Drew, la raison pour laquelle je ne te laisserai jamais me rejoindre sous la douche.

Il s'esclaffe.

— De toute façon, même sans toutes mes… activités extrascolaires, tu ne me laisserais jamais t'approcher.

— Pas faux !

Je claque la porte de la salle de bains derrière moi. À chaque fois que je viens ici (c'est-à-dire à peu près tous les jours), je me répète, consternée, que je suis clairement dans une salle de bains de garçon. Moisissure au bas du rideau. Taches de dentifrice partout dans le lavabo… Mais le bac carrelé est propre, lui, et c'est tout ce dont j'ai besoin pour me rafraîchir après ce petit jogging.

Une fois déshabillée, je saute dans la douche avant de m'enduire de la tête aux pieds d'un gel savonneux à l'odeur musquée et d'un shampoing deux en un qui finira par me rendre chauve. Quand je sors de là, j'ai, à peu de choses près, la même odeur que Drew. Un T-shirt extra-large à l'effigie de je ne sais quel groupe m'attend en compagnie du fameux minishort sur le couvercle des toilettes.

L'un est tellement long que l'autre en dépasse à peine. Mais bon, Drew s'en fiche. Enfin, si on veut…

La pointe de culpabilité que j'essaie toujours d'étouffer en sa présence revient me titiller. Je reste donc quelques secondes de plus dans la salle de bains, le temps de me donner une contenance. Après tout, il dit que ça ne le dérange pas, que tout va bien. Et puis, de toute façon, quelle est l'autre option ? Rompre définitivement avec le seul être humain qui ait toujours été pour moi une constante, un point de repère dans cette vie faite presque uniquement de variables, de gens qui ne restent pas ? Et tout ça, juste parce qu'il a fini par remarquer que j'avais des seins ? Non, ce n'est pas une solution envisageable. Ni pour lui, ni pour moi. Et s'il dit que ça va, je le crois.

Je retourne m'asseoir à côté de lui sur son lit. Il détourne les yeux un instant.

— Quoi ?

— Mets-toi plutôt sous la couette.

— Pardon ?

Il me toise du regard, le visage fermé.

— Ne le prends pas mal, mais la vision de toi, encore mouillée, les jambes nues, vêtue d'un simple T-shirt, ce n'est pas facile à encaisser. Glisse-toi sous la couette. Moi je reste au-dessus, promis.

Sans un mot – si j'ouvre la bouche, la situation risque de devenir encore plus embarrassante qu'elle ne l'est déjà –, je m'exécute. Inutile de préciser qu'à ce moment-là, ma légère pointe de culpabilité s'est muée en véritable ouragan. Il allume la télé, tombe sur une vieille série débile en noir et blanc – *La Quatrième Dimension*, comme toujours – et se rallonge, un bras passé autour de mes épaules. Je m'efforce de relancer la conversation en prenant bien soin de changer de sujet.

— Dis-moi, ta mère est toujours avec ce type…

— Non, c'est un nouveau. Il va sûrement dormir ici, d'ailleurs.

— On n'aura qu'à mettre le volume de la télé à fond à son arrivée…

— Bien vu !

Il s'esclaffe, mais son visage est sans doute plus grave qu'il ne se l'imagine.

Nous continuons à regarder défiler des trucs sans intérêt sur l'écran. Comme souvent, on n'a pas besoin de se parler. À un moment donné, Drew va à la cuisine nous réchauffer un plat – aujourd'hui, on mange chinois ! – qu'on mange ensemble sur son lit. Quelques heures plus tard, il fait nuit.

Drew se redresse sur un coude.

— Dis donc, à propos de New York…

— Oui ?

— Je crois que tu devrais y aller.

— Ah bon… Pourquoi ?

— Ça te ferait du bien ! Imagine un peu, ce serait l'occasion rêvée de renforcer tes liens avec tes petits camarades… me taquine-t-il. Vous allez passer un super moment dans la ville qui ne dort jamais !

Je lui donne un petit coup de poing à l'épaule quand il se rallonge, mais il reprend :

— Non, sérieusement, tu devrais y aller.

Les yeux rivés sur le poste, je tente de répondre sans laisser aucune émotion percer dans ma voix.

— Je ne sais pas trop, j'hésite…

Il reste silencieux une longue minute avant de demander :

— C'est à cause d'elle ? Tu ne veux pas la voir, c'est ça ?

— Hmm… C'est plutôt que je ne veux pas ne *pas* la voir.

On est étendus côte à côte, ma nuque appuyée sur son bras replié. Il se contorsionne pour déposer un baiser sur le dessus de ma tête.

— Ça craint.

— Mouais.

— Sans rire, tu vas vraiment laisser cette tête de nœud t'empêcher d'aller à New York ? April ne te le pardonnera jamais, j'espère que tu en es consciente !

Sa dernière remarque me fait rire : il a sans doute raison.

— S'il n'y avait que ma mère… Mais je ne peux pas me payer le voyage, Drew.

Je laisse aller ma tête contre son torse.

— La débrouille, ça te connaît, Renley. Si tu en avais vraiment envie, tu trouverais un moyen.

Je reste pensive un moment. Est-ce vraiment une bonne idée d'aller voir ma mère – c'est à peine si elle mérite ce titre, je devrais plutôt dire « ma bonne à rien de génitrice » – alors que j'ai quasiment la garantie de m'en prendre plein la tête une fois sur place, tout ça parce qu'elle ne peut pas me regarder en face sans penser à mon père ? C'est l'ascenseur émotionnel garanti ! Mais bon, d'un autre côté, je suis presque habituée à son indifférence, maintenant… Et puis je tuerais père et mère, justement, pour voir Times Square ! Sans compter que, soyons honnête, April va partir en vrille si je ne fais pas le moindre effort pour l'accompagner là-bas.

Je pourrais peut-être au moins tenter de réunir le montant nécessaire… Si je me plante, j'aurai essayé. Ce qui ne répond pas à la seule vraie question : qu'est-ce que je vais bien pouvoir faire pour gagner une telle somme ?

Du soutien scolaire. Tu es douée pour ça.

J'incline la tête sur le côté, songeuse.

— Et si je lançais un blog ?

— Nase. En plus, ça ne te rapportera rien.

— Non, mais un truc payant, tu vois ?

Je me redresse, et la couverture glisse de mes genoux. Drew détourne le regard, lèvres pincées. J'en profite pour ramener la couette sur mes cuisses et jusqu'à ma taille.

— Des tutoriels, mais sur plein de sujets différents. Tout le monde dit que je suis une bonne pédagogue, ce serait l'occasion de mettre ce talent en pratique !

Tout le monde… Enfin, une personne, et c'est déjà pas mal. Je poursuis, de plus en plus enthousiaste :

— On pourrait me poser des questions et je répondrais pour un dollar, à peu près.

— Madame veut travailler, voyez-vous ça ! Si on me l'avait dit, je ne l'aurais pas cru, lance-t-il d'un ton faussement dégoûté.

— Non, mais sérieusement. Je pourrais peut-être me faire de l'argent.

— Tu y crois vraiment ? Pourquoi tu ne prends pas un petit boulot ? Ils cherchent tout le temps du monde au centre commercial.

— Bof… Sans voiture, je vais galérer. Si je peux y arriver autrement, ce serait quand même plus sympa, non ?

— Si tu le dis… Pourquoi pas ?

Il se laisse aller de nouveau, la tête sur l'oreiller, et je me rallonge contre lui, les yeux rivés sur la télé.

Je me réveille dans son lit, désorientée. Ce n'est pas comme si c'était la première fois que ça m'arrivait, mais je ne m'étais pas rendu compte que je m'endormais. Il est tôt, on est samedi… bref, inutile de me précipiter à la maison. Mon père et sa merveilleuse nouvelle copine,

Stacey, ne risquent pas de se faire du souci, vu que je passe plus de temps chez Drew que chez moi. Alors, sur la pointe des pieds, je m'installe devant l'ordinateur installé dans la chambre. Mais qu'est-ce que je fabrique ? Je sais très bien que ça ne veut rien dire et qu'il y a très peu de chances que je puisse faire le voyage, de toute façon… Pourtant, je me surprends à taper ces quelques mots :

« Tuto n°1 : Résoudre une division complexe. »

TUTO N°2 : SE SORTIR D'UN TÊTE-À-TÊTE ATROCEMENT GÊNANT AVEC LA MÈRE DE SON MEILLEUR AMI

Au moment où Drew se réveille, je suis en pleine réflexion : poser des affiches au lycée pour me faire connaître ? Filmer mes mains en train de poser la division sur une ardoise ? Son lit grince légèrement lorsqu'il s'assied. Il se passe la main dans les cheveux, un sourire endormi sur les lèvres.

— Salut, beauté ! Alors, la nuit dernière a été aussi étourdissante pour toi que pour moi ?

Je fais lentement pivoter son siège de bureau, les yeux levés au ciel.

— Rendors-toi.

Avec un rire, il se lève… et je m'aperçois qu'à peu de choses près, il est nu comme un ver.

— Ce n'est pas juste ! Pourquoi, moi, je devrais planquer mes jambes sous la couette alors que toi, tu te balades en boxer ?

— Trois raisons, poupée.

Il entre dans la salle de bains et ouvre le robinet. Quelques secondes plus tard, il réapparaît, armé d'une serviette, et commence à sécher ses cheveux bruns dégoulinants. Il est censé s'être lavé, là ? Je rêve ! Le pire, c'est que je suis persuadée que pour plein de mecs, c'est la routine !

— Petit un… (Il fouille dans son placard.) C'est ma chambre. Donc c'est moi qui édicte les règles.

O.K., ça peut se comprendre…

— Petit deux, de toute façon, tu ne les respectes pas, et je suis presque certain de pouvoir apercevoir ta culotte d'ici. Non, non, ne te lève surtout pas !

Je rougis et change de position en un éclair pendant qu'il enfile un T-shirt propre, ce qui est, avouons-le, plutôt dommage en fait. Je n'ai aucune vue sur lui, mais il n'en est pas moins taillé comme un dieu.

— Et petit trois, je pourrais parader devant toi en sous-vêtements toute la journée, Renley, qu'il ne te viendrait pas pour autant à l'esprit d'avoir envie de coucher avec moi. Ce qui, soit dit en passant, est bien dommage. Plus que dommage même. Tout ça parce que tu n'es pas amoureuse de moi…

Il le dit comme si de rien n'était. C'est tellement clair entre nous maintenant qu'il ne pourrait pas le dire autrement.

Je baisse les yeux, toujours mal à l'aise, pour chercher une couverture sous laquelle me planquer.

— Et puis toi, même si tu ne peux pas t'empêcher de m'imaginer nu, tu n'es pas du genre à t'en repentir, ajoute-t-il d'un air sardonique.

Mes doigts attrapent un plaid, que je tire sur mes jambes. Me voilà rouge comme une pivoine, à présent.

— Bingo ! Tu es en train de m'imaginer tout nu en ce moment même, je me trompe ? lance-t-il, tout sourire.

Je nie comme je peux, simulant une quinte de toux pour cacher ma gêne. Mais, bien sûr, je suis tombée dans le panneau. Si quelqu'un s'écrie : « Ne pensez surtout pas à un canard ! » C'est foutu, tout le monde pense à un canard.

Lentement, il fait un tour sur lui-même, lève le bras au-dessus de sa tête et contracte son biceps.

— Alors, tu apprécies la vue ?

— Drew !

Je lui balance à la figure mon plaid, qu'il rattrape au vol avant de tirer une chaise pour s'installer à côté de moi devant l'ordinateur.

— Allez, tu sais très bien que tu n'as rien à craindre. Je ne vais quand même pas te sauter dessus dès que tu dévoiles un centimètre de jambe !

— Encore heureux !

Avec un sourire, je me retourne vers le clavier alors que dans ma poitrine, mon cœur effectue un petit soubresaut qui ne me plaît pas du tout.

— Qu'est-ce que c'est ? demande-t-il, penché vers l'écran.

— Rien, mon projet de tuto. Celui dont on parlait hier…

— Donc tu vas y aller ? À New York, je veux dire.

— Peut-être. Je réserve ma décision, pour l'instant.

Un petit rictus désabusé lui échappe, qu'il transforme aussitôt en franc sourire. Mais ses yeux restent désenchantés.

— Pas possible ! Toi, refuser de t'engager ? raille-t-il d'un ton léger. Ça ne te ressemble tellement pas !

Je me raidis malgré moi et préfère m'absorber dans la contemplation de l'ordinateur. Il se racle la gorge avant de lancer :

— Alors, voyons voir… « Résoudre une division complexe ».

— Ouaip.

Je suis soulagée qu'il ait brisé le silence mais, pour une raison qui m'échappe, un peu gênée aussi.

— Tu n'as pas à avoir honte, ta démonstration est limpide. C'est… un début. Mais honnêtement, je me demande juste comment tu comptes te faire du fric avec ça.

— J'y ai réfléchi ce matin. Mon père devrait pouvoir me donner quelques centaines de dollars pour aider à financer le voyage. Un vide-grenier par-ci, une vente de gâteaux par-là… j'arriverai sûrement à doubler le montant par la suite. Mais en comptant mes dépenses sur place, il me manquera tout de même une bonne somme. Et j'ai sept mois pour la trouver. Enfin… si je décide vraiment d'y aller.

— D'accord. Et comment des tutos gratuits vont bien pouvoir t'y aider ?

— Au début, je mets en ligne des vidéos, libres d'accès bien sûr, qui répondent aux questions les plus posées sur Google. Je pose des affiches au lycée et dans les commerces locaux pour me faire connaître, je fais de la pub payante sur les sites Internet des associations du campus, partout où je peux. Je me donne quelques mois pour faire monter le buzz et, si ça marche, je laisse les gens me poser leurs questions directement. Et là, Paypal est mon ami. Et puis, si je me plante, un job de serveuse, et le tour est joué !

— Donc en gros, c'est comme tous les autres tutos gratuits. Sauf que c'est payant.

Je le foudroie du regard, contrariée.

— Non. Enfin, pas faux. Mais, d'abord, je vais me donner à fond : ce sera drôle, bien tourné… Et anonyme, pour donner un côté mystérieux au projet. Et l'idée, c'est que j'aille chercher chaque réponse auprès d'un expert certifié.

— C'est possible, ça ?

— Pourquoi pas ? dis-je avec un haussement d'épaule. Je n'ai qu'à devenir une experte dans tous les domaines, et ce sera vrai.

— Hmm… Qui ne tente rien n'a rien !

Je fais pivoter sa chaise vers la mienne pour le fixer droit dans les yeux.

— Par contre, tu ne dois le dire à personne.

— Pourquoi pas ?

— Mais parce que le succès de toute l'opération dépend de mon anonymat ! Pour l'instant, je suis invisible. Je ne suis ni une ratée, ni une fille populaire. Je fais juste… partie des meubles. Personne n'a la moindre envie de payer Renley Eisler pour ses précieux conseils. Il faut qu'on pense que ces recommandations viennent d'une source autorisée, mais secrète. Pour que ça ait la moindre chance de marcher, il faut que je devienne invisible, certes, mais à la *Gossip Girl*, cette fois. Tu comprends ?

— D'accord, pigé. Promis juré, je resterai muet comme une tombe. Tu veux que je te signe un parchemin avec mon sang ?

Je hausse un sourcil narquois.

— Tu perds la main, mon chou, en temps normal, tu m'aurais suggéré de sceller ton serment d'un baiser…

— Je n'aurais jamais osé, mais puisque tu me le proposes…

Sitôt qu'il se penche en avant, je le repousse violemment, une main à plat sur son torse. Sa chaise bascule dans un craquement et il atterrit au milieu d'un petit tas de linge sale qui traînait là.

Penaude, je cache mes mains derrière mon dos.

— Ah oui, d'accord… Alors c'est ça qui te branche ? fait-il d'une voix éraillée.

Il reste allongé là une seconde, l'air hébété. Je me lève aussitôt pour l'aider à se redresser.

— Oups… désolée. Je ne connais pas ma force, on dirait…

— C'est le moins qu'on puisse dire.

Je suis en train de tirer sur son bras pour le remettre tant bien que mal sur pied quand la porte de sa chambre s'ouvre à la volée. L'odeur de fauve mêlée de relents de nouilles sautées qui règne dans la pièce est aussitôt remplacée par des effluves d'eau de Cologne, d'alcool et de parfum entêtant. Les vestiges de la nuit précédente, j'imagine. D'ordinaire très propre sur elle, la mère de Drew disparaît à présent derrière des yeux de panda et une masse de cheveux en bataille.

— Qu'est-ce qui se passe ic…

Elle se tait, me sourit poliment et me détaille de la tête aux pieds. Je prends conscience à cet instant précis que j'ai vraiment l'air de ne rien porter sous mon T-shirt.

— Drew, reprend-elle, tu devrais accrocher une cravate à la poignée de ta porte, il me faut un signal dans ces cas-là…

Je crois n'avoir jamais été aussi cramoisie de toute ma vie.

— Bonjour, madame.

— Renley… Comment vas-tu ?

Le silence est presque palpable. Et vraiment pesant. Même Drew est mal à l'aise, ce qui n'est pas dans ses habitudes, pourtant. Il observe sa mère, le nez légèrement froncé, et dans son regard, si vif d'habitude, je perçois une lueur de gêne. De colère, aussi. Est-ce qu'il a remarqué le suçon qu'elle arbore juste au-dessus de sa clavicule gauche ?

L'intruse s'éclaircit la voix, les yeux baissés sur le sol en désordre de la chambre de son fils.

— Bon, eh bien… Je vais vous, euh… vous laisser.

Elle fait machine arrière et referme la porte doucement. Drew pousse un profond soupir d'exaspération en secouant rageusement la tête.

— Ça ne la dérange pas, que tu fasses venir des filles ici ?

Il toussote.

— Tu n'as pas vu son énorme suçon ? rétorque-t-il. Les blancs-becs qu'elle ramène à la maison sont à peine plus vieux que moi, la plupart du temps. Alors, même si elle le voulait, elle n'aurait pas son mot à dire. Bref, la réponse est non. Et tu le sais bien.

En effet. Mais je ne pouvais pas me taire, il fallait que je dise quelque chose.

Un sourire vient remplacer le malaise qui se lisait jusque-là sur le visage de Drew.

— Pour tout dire, reprend-il en réprimant un petit rire, je crois qu'elle s'inquiéterait plus si elle savait qu'on ne couche pas ensemble.

— C'est complètement tordu, comme histoire !

Il hausse une épaule désinvolte et me tend mes vêtements sales de la veille. Je me glisse dans la salle de bains. Il existe quelques limites que je refuse de franchir devant lui, me dénuder en fait partie. Une fois mes vêtements froissés enfilés, je lui rends son T-shirt et le short de sa dernière conquête.

— Il vaudrait mieux que tu rentres avant que ton père ne s'énerve.

— Arrête, je suis terrifiée.

Il me lance un large sourire. Mais il n'a pas tort, il faut que j'y aille. Pas à cause de mon père, non… Depuis qu'il a trompé ma mère (il y a environ cinq ans) et récolté un divorce pour sa peine, il a le complexe du Papa Divorcé : il se sent coupable pour tout et n'importe quoi et me laisse faire tout ce que je veux. Avec qui je veux. Il doit penser que je couche avec Drew. Mais il n'en dit jamais rien et, à mon avis, ce n'est pas demain la veille qu'il ouvrira la bouche pour protester.

— C'est vrai qu'il faut que j'y aille, en fait, dis-je.

— Et moi j'ai des trucs à faire, de toute façon.

— Quel genre de trucs ?

— Un rencard, tout à l'heure.

Je balaye lentement la chambre des yeux.

— Et tu comptes la faire venir… ici ?

— À ton avis ? sourit-il.

— C'est juste que… Tu devrais peut-être faire un peu de ménage. Mettre un coup de spray anti-odeurs, au moins. Et planquer ce short, surtout.

— Je n'ai pas besoin d'aide pour tirer mon coup, mademoiselle. Mais merci beaucoup du conseil !

Il me pousse vers la sortie. Je souris à moitié, mais on dirait sans doute plutôt une grimace. Je crois que je montre les dents.

— À plus tard !

— À plus. Si tu comptes passer ce soir, envoie-moi un message d'abord. Mais je doute qu'elle soit encore là après 22 heures.

Une fois la porte refermée derrière moi, je me faufile dans le couloir. Je ne sais pas trop pourquoi je ressens le besoin de me faire discrète, sa mère nous a déjà vus ensemble et a cru le pire au moins trois cents fois. Mais quand même. C'est bizarre.

— Renley ?

LA POISSE. Elle m'attendait dans la cuisine. Je m'empresse de répondre :

— J'y vais ! Au revoir !

— Attends, avant de partir. Tiens.

Elle me fourre une petite montagne d'objets dans les mains. Je n'ai pas la moindre envie de savoir ce que c'est. Sauf que, malheureusement, je le sais. Ce sont des préservatifs. Des tonnes de préservatifs.

— Euh…

Je n'ajoute rien. Qu'est-ce qu'on est censé dire face à la mère de son meilleur ami qui vient de vous déverser une énorme quantité de capotes fluo, très probablement parfumées, dans vos deux paumes jointes ? L'équilibre de l'ensemble est précaire, et certaines tombent déjà sur le sol.

— Ne sois pas gênée. Je t'en prie, c'est pour toi.

Argh… Le doute n'est plus permis : elle a bien joué les cougars hier soir. L'odeur d'un déo pas cher, à portée de bourse d'un étudiant désargenté, m'assaille les narines.

Je voudrais retenir ma respiration mais il faut que je dise quelque chose, n'importe quoi, parce que son regard entendu de maman « ultra cool » a quelque chose d'horriblement gênant qui me file les jetons.

— D'accord… Je ne sais pas trop comment vous le dire, mais je ne couche pas avec votre fils.

Elle me tapote l'épaule.

— Oh, ma chérie ! Je ne suis pas née de la dernière pluie, tu sais. Ne t'en fais pas. Prends-les, c'est tout ce que je demande. Protégez-vous, tous les deux.

Je ne sais plus où poser les yeux : sur son visage fatigué, sur le sol ou sur le volcan de latex posé sur mes deux mains en coupe ? Alors j'alterne entre les trois, quasi frénétique.

— Mais, sincèrement, c'est la vérité. Je vous promets. Je suis vier…

— Prends-les, c'est tout ! Ton secret est bien gardé avec moi.

Le clin d'œil qu'elle m'adresse aggrave encore la situation, si c'était possible. Je me résous à rendre les armes. Raide comme un bâton, les yeux écarquillés, je me dirige vers l'entrée quand Drew débarque, aperçoit mon douteux fardeau et manque de s'étrangler. Il se dirige droit sur sa mère (non sans attraper un préservatif au passage), tandis que, du coude, je tourne la poignée de la porte. Sitôt dehors, je la laisse claquer derrière moi. Ce qui ne m'empêche pas d'entendre un cri étouffé :

— MAMAN !

— Mais quoi ?

Quelques secondes plus tard, je reçois un SMS de Drew.

Putain… C'est n'imp.

Je réponds :

T'inquiète. J'en ferai des ballons.

Des ballons blancs transparents ? Tu sais t'amuser, toi, dis-moi.

Ils sont de toutes les couleurs. Et parfumés.

Arrête-toi là immédiatement. Tu parles des capotes de MA MÈRE.

L'écran s'éteint. Secouée d'un fou rire, je rentre chez moi.

TUTO N°3 :
RÉUSSIR UNE TRESSE CASCADE

— Salut, Leelee ! s'exclame mon père quand je franchis la porte.

Il m'appelle comme ça depuis que je suis toute petite. C'est débile, mais j'adore.

— Salut, Papa !

— Où étais-tu ?

— Chez Drew.

Il s'efforce de sourire comme il le fait chaque fois que je passe la nuit à côté. Et comme toujours, il évite de me regarder en face. J'imagine que ce n'est pas facile de penser que votre fille se tape son chaud lapin de voisin. Je trépigne sur place un instant : va-t-il me faire une remarque ou pas ? Va-t-il enfin, pour la première fois en cinq ans, se draper dans son rôle de père et me punir, confisquer mon téléphone, pousser une gueulante… Allez !

— Bon, content que tu… euh… que tu te sois bien amusée, dit-il, de toute évidence horriblement mal à l'aise.

Les coudes posés sur la table, il jette un petit coup d'œil à la cuisine derrière lui, puis sirote une gorgée de café. Je m'autorise à secouer la tête, une fois et une seule. Je suis agacée sans même vraiment savoir pourquoi. Ne jamais se retrouver punie pour rien, ça devrait être un superpouvoir réjouissant, pas un motif d'irritation. Pourtant, j'ai envie de mordre.

Mon père se retourne vers moi (pas pour me dévisager, il a perfectionné l'art d'éviter mon regard), et aperçoit mes mains. Mes paumes… remplies de préservatifs.

Oh non ! Mode panique enclenché… Qu'est-ce que je fais ? Je lui dis que ce sont des chewing-gums ? Je les fourre dans mes poches ? Je hais la mère de Drew. Je la hais !

Il recrache son café, comme dans les films, et me scrute fixement.

— C'est… C'est quoi ?

— Euh…

Il se lève de son siège, pose sa tasse sur la table.

— Qu'est-ce que c'est que ça, Renley ?

— Je… Euh…

Je me tais. D'un côté, j'ai bien envie de me défendre. De lui dire que je n'ai jamais ne serait-ce qu'embrassé Drew (à onze ans ça ne compte pas), et encore moins couché avec lui. Ni personne d'autre, d'ailleurs. Je veux lui dire que la voisine est cinglée et qu'elle n'a pas voulu me laisser partir sans m'arroser au préalable de contraceptifs. Mais de l'autre… j'ai juste envie de mentir.

— Ce sont des préservatifs, Papa.

Il en reste bouche bée. Le silence s'installe, un long silence que nous écoutons religieusement pendant plus d'une minute. C'est moi qui le brise la première.

— Qu'est-ce que tu crois que je fais quand je dors à côté ?

— Je… Euh… Je…

— Tu crois qu'on regarde des films toute la nuit en se faisant des tresses ?

— Renley…

— Je n'ai plus onze ans, Papa.

Il regarde absolument tout dans la pièce, sauf moi. Je ne bouge pas d'un centimètre, mes préservatifs dans les mains. Quand il prend enfin la parole, c'est d'une voix douce. Où perce une grande fatigue.

— Tu as raison. Tu n'es plus une gamine. Et… je suis désolé.

Je pars d'un grand rire.

— Tu es désolé ?

— Bien sûr. Tu es assez grande pour faire tes propres choix. Et au moins, tu te protèges.

Que répondre à ça ? Aucune idée.

— Mais les filles se succèdent chez lui, mon ange. Tu devrais faire attention…

Juste au moment où je m'engage dans l'escalier, la porte d'entrée grince en s'ouvrant.

— Salut, Leelee ! s'exclame joyeusement Stacey. Tu nous as manqué hier soir !

Je déteste quand elle m'appelle comme ça. Je fais comme si je n'avais rien entendu et je disparais en toute hâte dans ma chambre. Je suis à cran… Pourquoi à ce point ? Bonne question ! La porte claque derrière moi (encore un truc que mon père ne devrait pas laisser passer), et je sors mon téléphone.

Mon père a vu les… petits cadeaux, dirons-nous, de ta mère.

Il t'est tombé dessus ?

Il s'en contrefout. À un point… Tu n'as pas idée.

Je me sens bête, maintenant. De m'être énervée contre mon père au prétexte que lui, justement, ne s'énerve jamais. Il se fiche de mes prétendues relations sexuelles ? Et alors ? Qu'est-ce que ça peut bien faire, puisqu'elles sont inventées, de toute façon ! Mon téléphone vibre soudain.

Moi, ma mère me demande de mettre une cravate sur la poignée de la porte pour lui indiquer que je suis en train de m'envoyer en l'air, alors… lol !

Lol, laisse tomber les parents…

Je pose le téléphone sur mon bureau, une main dans les cheveux, et me mets à réfléchir à cette histoire de tutos.

À part les maths, qu'est-ce que je sais faire d'autre ? Je tape dans le moteur de recherche. Comment… Faire cuire un œuf dur ? Sérieusement ? Pas possible, c'est la quatrième recherche la plus populaire ! Bon, même si je suis nulle en cuisine, ça au moins je sais le faire.

Tuto n°1 : Embrasser comme une déesse

1. Saler l'eau.
2. Mettre les œufs dans l'eau froide.
3. Porter à ébullition.
4. Laisser cuire 9 minutes.
5. Manger.

Et trouver le moyen de rendre cette histoire moins assommante. Ajouter quelques gifs, peut-être ? Argh…

« Tuto n°1 : Résoudre une division complexe. » « Tuto n°2 : Faire cuire un œuf dur. » Génial… Les tutos les plus nases de l'histoire des tutos. Je fais défiler en soupirant le produit de mes diverses recherches et je les épluche un long moment. « Réussir une tresse cascade. » Intéressant.

Je me campe devant le miroir avec plusieurs vidéos YouTube ouvertes en même temps sur l'écran. Dessus, dessous, dessus, dessous. Et un résultat qui ne ressemble à rien ! Je réessaie plusieurs fois (sans succès) jusqu'à ce que mes cheveux finissent par se transformer en un véritable nid d'oiseau.

Je devrais peut-être faire un masque démêlant avant ? Ou alors ce sera pire ?

On toque à ma porte.

— Oui ?

— Coucou, ma puce.

— Hmm…

Mon père vient s'asseoir sur mon lit. Occupée à chercher ma brosse, je fais complètement abstraction de sa présence. Je ne sais pas pourquoi mais, dès que je le vois, la colère m'étrangle à nouveau.

— Nouvelle coiffure ?

— Ha ha… Si on veut.

— Tu es fâchée contre moi ?

Il triture sa montre. Qu'il s'obstine à porter alors que son smartphone lui indique l'heure qu'il est en ce moment même aux quatre coins du monde.

Je scrute avec application le tableau périodique des éléments accroché au mur (oui, j'ai conscience que c'est super geek), pour me concentrer sur les chiffres plutôt que sur mon père. Ça m'aide à me calmer.

— Non.

— Contre Stacey ?

— Non.

Il pousse un gros soupir.

— Écoute, je ne voulais pas me montrer désagréable ou te mettre mal à l'aise. C'est seulement que, depuis que ta mère vit à neuf cents kilomètres de nous, et qu'elle est… Enfin tu sais bien… je sais que tu n'as pas vraiment l'occasion de parler de ce genre de choses… bref des relations sexuelles… avec quelqu'un. Et tu grandis. Tu as des besoins, maintenant.

— Oh, Papa… Pitié !

— Non, écoute-moi… Moi aussi j'ai été ado. Je comprends. Tes hormones sont en ébullition et tu ne penses qu'à… sauter sur tout ce qui bouge.

— Non… mais sérieusement. Arrête tout de suite.

— Je voulais juste que tu saches que c'est normal. Ce n'est pas… sale et ça ne fait pas de toi… une traînée ou je ne sais quoi. Mais j'aimerais que tu en sois bien consciente : tu peux tomber enceinte si tu ne te protèges pas. À chaque rapport. Et un garçon comme Drew couche avec beaucoup de filles. Bref, tu pourrais attraper une MST.

— Mais, je… Drew n'a pas de MST, O.K. !

Je voudrais ramper jusque… pas jusque sous mes couvertures, ce n'est pas suffisant, je voudrais disparaître. Jusque dans mon matelas. Voilà, je voudrais rentrer dans mon matelas et me volatiliser à la vue de mon père.

— Tu sais, ma puce, c'est possible. Et il n'en saurait rien. Chlamydia, blennorragie… Il y a beaucoup de possibilités.

Soudain, faire croire à mon père que je couche avec Drew ne me paraît plus du tout aussi drôle qu'il y a encore quinze minutes. De toute façon, je ne récolterai pas le moindre blâme, pas la moindre punition, il ne fera même pas semblant d'être énervé ! Alors pourquoi est-ce que je m'inflige ça ?

— Papa, tais-toi. Sérieusement. On ne s'envoie pas en l'air ! C'est sa cinglée de mère qui m'a refilé ces préservatifs. Je suis vierge. Je n'ai aucune MST.

Il se redresse un peu, l'air plus mal à l'aise encore.

— Ah… D'accord. Très bien. Mais tu peux attraper des MST autrement. Par exemple…

— Je sais, Papa. Merci pour cette conversation fascinante. Elle m'évitera de me retrouver avec une tripotée de marmots et de contracter des maladies par dizaines, j'en suis certaine. C'était très efficace. S'il te plaît, va-t'en maintenant.

— Et si tu as besoin de parler de quoi que ce…

— Oui. Tu en seras le premier informé.

Puisque Maman ne répond même plus quand je lui passe un coup de fil, de toute façon…

Je le pousse littéralement vers la porte. Tout à coup, New York me revient en mémoire.

— Papa ?

Il se tourne vers moi, une telle terreur au fond des yeux que j'en éclaterais de rire si je n'étais pas moi-même atrocement gênée par toute la discussion qui a précédé.

— Je voulais te dire… Le club de maths organise un voyage à New York à la fin de l'année. Ça coûte cher, mais j'en ai vraiment envie.

Ses craintes dissipées, il pousse un profond soupir de soulagement.

— Combien ?

— Le voyage coûte trois mille dollars. Mais je vais économiser. J'ai juste besoin de savoir si tu pourrais m'aider.

— Je ne sais pas, ma puce. Il faut que j'en parle avec ta mère.

Je le fixe, impassible. Avec sa compagne, ils tentent toujours de me faire avaler cette idée étrange. Simplement parce que ma vraie mère ne parvient plus à admettre mon existence, Stacey serait devenue d'un coup, d'un seul la femme qui m'a donné la vie.

— Avec Stacey, corrige-t-il. On doit pouvoir te donner un coup de pouce, je pense.

Alors qu'il s'apprête à franchir le seuil, il rebrousse soudain chemin pour me demander :

— Drew ira aussi ?

Je roule des yeux excédés.

— Il ne fait pas partie du club de maths ! J'y vais avec April.

— Très bien, répond-il avec un sourire, avant d'ajouter, perplexe : New York ? Attends…

— Oui, Papa. La ville où habite Maman. Je dormirai chez elle.

Le mensonge franchit mes lèvres avec une facilité déconcertante. Je ne sais pas trop pourquoi j'ai dit ça, mais la réaction est immédiate. Mon père a l'air de s'être pris un coup de poing dans le ventre. Ou faire une mini crise cardiaque, l'un ou l'autre. L'espace d'un instant, il paraît sur le point de m'interdire de participer au voyage. Mais il finit par s'éclipser en refermant la porte derrière lui.

Mon père croit que tu as une ou plusieurs MST.

Beurk.

Je tournoie un moment sur ma chaise de bureau avant d'appeler April, qui décroche aussitôt.

— Allô ?

— O.K., je viens…

— À New York ? demande-t-elle, d'une voix qui s'envole dans les aigus un peu plus à chaque syllabe.

— Eh oui !

C'est la réaction de mon père qui m'a convaincue : j'ai décidé d'y aller. J'écarte le téléphone loin de mon oreille lorsqu'April se met à hurler.

— Trop bien ! Bon, il faut qu'on organise tout. Ça va être génial. Trop cool. Et trop, trop… je suis trop contente que tu viennes !

Je souris, même si elle ne peut pas me voir.

— Moi aussi. On part à la conquête de New York ensemble, April !

À l'arrière-plan, j'entends la voix étouffée de son grand frère pousser des cris irrités – elle lui hurle quelque chose de tout aussi inaudible en réponse. Puis un long bruit aigu retentit à mon oreille. On a été déconnectées.

Je retourne sur YouTube. Maintenant que je l'ai dit à April, ma décision a pris corps. Il faut absolument que je rende ces tutos attractifs, et si ce sont des tresses en cascade qui doivent me permettre de le faire, alors je suis prête à faire subir tous les outrages possibles à mes cheveux.

Je tresse, je natte et je tresse encore. Pour finir, je m'enduis à la truelle les mains et les bras avec le fond de teint trop foncé pour moi de Stacey (déguisement top secret, deux précautions valent mieux qu'une), et je recommence mon manège pour prendre plusieurs vidéos de l'arrière de ma tête. Quelques manipulations (O.K., beaucoup de manipulations) pour assombrir mes cheveux de quelques nuances (oui, oui, une surdouée en maths forte en informatique, c'est possible), et tada ! c'est posté.

New York, me voilà ! (Ou pas.)

Quelques jours plus tard, pour conclure l'affaire, je m'empare de mon téléphone, sans me laisser le temps de trop réfléchir, histoire d'envoyer un message à ma mère. Je lui dis que je débarque de l'Ohio cet été et je lui demande si on peut se voir.

Elle ne répond pas tout de suite mais, cette fois, elle ne me laissera pas tomber. Je le sais, j'en suis sûre.

TUTO N°4 :
RÉUSSIR UN NŒUD DE CRAVATE

Tu peux passer chez moi ? Je clique sur « ENVOI ». Puis, cinq secondes plus tard : Attends. Tu n'es pas avec une nana, au moins ?

Non. R.A.S.

Apporte une cravate.

;)

Et aussi une belle chemise si possible.

Ah… Moins drôle.

Affalée sur mon lit, je traîne à la fois sur Google et sur mes propres tutos. La monétisation me paraît toujours utopique, mais la fréquentation augmente indéniablement depuis deux semaines. Il faut dire que je pars de rien. Et puis j'imagine que les tresses en cascade ont plus de succès que les divisions complexes. « Réussir un maquillage œil de biche. » Très bien, ça… Si je pique les lentilles colorées bleu cobalt de Stacey et que je fais un plan super serré de mes yeux, on n'y verra que du feu, j'en suis sûre.

Je bondis jusqu'à mon bureau, qui devra faire office de coiffeuse pour le moment. Il y a un miroir au-dessus, donc ça compte. Je dois bien posséder au moins un eyeliner. Quelque part.

Je fouille dans le tiroir où les vestiges du maquillage qui m'intéressait tant en troisième finissent tranquillement leurs jours. Eurêka ! Un minuscule bout de crayon noir. Sans doute aussi vieux que Mathusalem… Pour l'hygiène, on repassera. Mais ça fera l'affaire, et par affaire, j'entends : me faire ressembler à une biche.

L'œil droit fermé avec application, je glisse le crayon au-dessus de mes cils. Bon, c'est assez simple. Je termine l'opération et quand j'ouvre la paupière, je m'attends à une beauté fatale mêlée de grâce féline. Mais on dirait plutôt une moitié de Cléopâtre. Bon, mes cheveux cascadent à mort et sont absolument à tomber, donc c'est déjà ça.

Malgré ce semi-échec, je procède à une nouvelle tentative sur mon œil gauche. Cette fois au moins, je parviens à courber le trait vers le haut sur la fin. Mais ça fait toujours beaucoup trop Égypte ancienne et pas assez pin-up ultra moderne.

On frappe doucement à la porte.

— Oui ?

C'est Drew. Je ne le vois pas, trop absorbée par mes manœuvres cosmétiques. Malgré tout, je reconnaîtrais sa démarche entre mille.

— Pas mal, tes cheveux ! dit-il.

Mais lorsque je me retourne, tout sourires, il manque d'éclater de rire.

— Mais c'est cette bonne vieille Cher ! Pardon, je cherchais une certaine Renley. J'ai dû me tromper de chambre.

Je m'étrangle :

— Sale gosse !

Je frotte violemment mes yeux mutilés à l'aide d'un mouchoir. Les vestiges d'eyeliner y dessinent une trace estompée qui n'est pas si mal – je laisse mes paupières en l'état et je me lève d'un bond.

— « Réussir un maquillage œil de biche », dis-je pour éclairer sa lanterne.

— Il va falloir que tu le bosses un peu avant de le poster, celui-là.

— Merci beaucoup du conseil !

Avec un petit sourire, il dépose sur le lit les vêtements qu'il tenait dans les bras.

— La cravate de Madame ! Pour un tuto, j'imagine ? Soit ça, soit notre relation prend une tournure très différente de ce que j'avais envisagé.

— La première option, dis-je avec un petit rire.

— Dommage !

Il s'assied sur le lit à côté des deux chemises qu'il a apportées. Je m'éclaircis la gorge.

— Il faut que j'apprenne à faire un nœud de cravate.

— Facile !

J'attrape la bande de tissu bordeaux pour la passer autour de mon cou devant le miroir, où elle pendouille sans conviction. Je dévisage mon reflet, un peu désemparée.

— Je n'ai pas la moindre idée de ce qu'il faut faire.

Drew s'approche de moi dans mon dos et passe les bras autour de mes épaules. Je m'efforce d'ignorer les soubresauts de mon pouls. Quelle réaction étrange, quand on sait que je dors régulièrement dans son lit depuis des années !

— Suis bien mes mouvements.

Il s'attelle lentement à la tâche, qu'il effectue pas à pas, côté droit par-dessus le gauche, dessous, dessus et encore dessous. Après quoi, je suis perdue. Nous ne sortons pas ensemble. Nous ne sortirons jamais ensemble. Mais ses doigts effleurent ma gorge, la naissance de mon cou, et, avec ses bras autour de moi, son torse appuyé contre mon dos… je n'arrive plus à réfléchir.

— Tu as capté le truc ? me demande-t-il à voix basse.

Pas parce qu'il essaie de m'émoustiller, seulement parce que sa bouche est tout près de mon oreille. Savoir qu'il ne tente pas de me séduire, c'est encore plus troublant. C'est complètement ridicule.

— J'ai compris la première partie. Après… je, euh…

Ma voix me lâche complètement.

— Qu'est-ce qu'il y a ?

— Rien du tout, Drew. Mais ça ne marche pas du tout, ton truc.

Je dénoue la cravate, la jette sur le lit et recule jusqu'à ce que mes fesses touchent le bureau.

Surpris, il se rassied et se met à triturer nerveusement le tissu rouge foncé de l'objet incriminé.

— Euh… O.K. Désolé ?

S'il savait à quel point mon cœur cogne fort dans ma poitrine, s'il pouvait deviner le genre de pensées qui me traversent l'esprit en ce moment même, il battrait en retraite au bout de la pièce, lui aussi. (Peut-être.)

— Ce n'est pas toi, dis-je en m'efforçant de dissimuler ma frustration. C'est juste que… je crois que je devrais apprendre à le faire sur toi, d'abord. Là je m'emmêle les pinceaux.

— D'accord.

Il devine que je suis toujours à cran et semble très mal à l'aise, sans doute parce qu'il ne comprend pas pourquoi je réagis ainsi. J'ai honte de mon attitude, alors je me lève du bureau pour lui prendre la cravate des mains.

— Désolée, je ne sais pas ce qui m'a pris.

— Pas de souci.

Il se tait un instant, se frotte la nuque, puis :

— Tu voulais que je me change, ou pas ?

Ah oui… La chemise.

— Je ne sais pas. C'est différent avec le col ?

— Pas vraiment. Mais ça rendra peut-être un peu mieux.

Je me résous vite à l'idée.

— Bon, tu n'as qu'à l'enfiler.

Il ôte son T-shirt avant d'attraper la chemise. À la seconde même où je l'aperçois torse nu, je me sens à mon tour mal à l'aise. Il a toujours été mignon, mais je préfère ne pas le regarder maintenant que… qu'a dit mon père déjà ? Que mes hormones sont en ébullition ? Que j'ai besoin de « sauter sur tout ce qui bouge » ?

Quelle conversation surréaliste ! Mais ça marche : j'éclate de rire et Drew lève un sourcil interrogateur mais, soudain, comme par magie, je parviens à regarder son torse sans ressentir d'émotions malvenues, de sensations que je n'ai pas envie d'éprouver.

Il boutonne la chemise avec application, jusqu'en haut. Je passe la cravate autour de son cou et j'attends ses instructions.

— Passe-la sous le col, me dit-il.

Il est nettement plus grand que moi. Bras tendus, dressée sur la pointe des pieds, je me retrouve obligée de plaquer ma poitrine contre la sienne. Je vois une veine battre à son cou et, soudain, la solution miracle à mes envies déplacées n'en est plus une.

— Le côté le plus large est sur ta gauche. Croise-le par-dessus le plus étroit.

Je m'exécute, puis le repasse en-dessous de son vis-à-vis. Et je recommence.

— Bien. Maintenant, le côté le plus large est en-dessous. Fais-le sortir par la boucle du haut. Celle qui est autour de mon cou.

Mes phalanges effleurent sa gorge. Ma main se détend une fraction de seconde au contact agréable de sa peau d'un côté et de la soie de l'autre.

— Hum, toussote-t-il sans me regarder. Euh… Et pour finir…

Il déglutit péniblement et je sens sa pomme d'Adam remuer sous mes doigts.

— Pour finir, il faut le faire passer par la petite boucle, continue-t-il d'une voix rauque.

J'ai l'intuition que si je parlais, la mienne serait un peu trop aiguë.

Je me rapproche encore – je suis à un ou deux centimètres à peine de son visage et, pour une fois, j'en ai pleinement conscience. Je change de main pour terminer ma manœuvre sur la cravate.

— Et maintenant, tu serres.

Se rend-il compte que sa voix n'est plus qu'un murmure rocailleux ? Je fais comme si de rien n'était et je m'exécute. Mais j'y vais beaucoup trop fort.

Aussitôt, ses mains vont se poser sur sa gorge et, très vite, il tire sur le tissu pour se donner un peu d'air.

— Pas de nœud coulant, Renley ! À moins que tu ne comptes me tuer ? fait-il avec un sourire en coin.

— Pas tout de suite, non.

— C'est bon à savoir !

Avec son jean, sa chemise et sa cravate desserrée, il a l'air débraillé juste ce qu'il faut. Sexy. Sexy à tomber à la renverse. Peut-être que ce tuto n'en valait pas vraiment la peine, finalement.

— Tu veux réessayer ? me demande-t-il.

Non, jamais de la vie.

— Oui.

Nous reprenons donc nos exercices jusqu'à ce que j'arrive à peu près à me débrouiller et que l'extrémité la plus étroite de la cravate ne dépasse plus par en-dessous à la fin des opérations. Le résultat est plus qu'honorable.

— Tu veux essayer sur toi, cette fois ? fait-il.

— Oui.

Mais hors de question que tu me touches, ce coup-ci !

Il retire sa chemise mais garde la cravate desserrée autour de son cou. Ce qui serait ridicule s'il ne ressemblait pas à un mannequin de chez Abercrombie. Il finit par l'ôter aussi et enfiler son T-shirt. Je ne mets pas longtemps à appliquer ce que je viens d'apprendre sur moi. Le temps de m'exercer et de réfléchir au cadrage… Dans un jour ou deux, je serai prête à poster.

— Je peux la garder un peu ?

— Je t'en prie. Mais ne la lave pas, ça l'abîmerait, et prends-en soin, s'il te plaît. Les cravates, c'est un piège à filles.

En un clin d'œil, le charme est rompu. Parfois, j'oublie que le grand objectif de Drew dans l'existence, c'est de se taper tout ce qui bouge. Pas que ça me dérange en soi, je ne le juge pas. Mais j'ai déjà vu ce genre de situation auparavant, je connais la chanson : le coup de la fille blessée par la vie qui s'attache à un type incapable de garder sa braguette fermée, c'est la recette du désespoir. Et même si, au fond de moi, j'aimerais vraiment savoir ce que ça fait de l'embrasser pour de vrai, je suis très loin de vouloir terminer comme mes parents, c'est priorité à moi dans l'existence. Bref, il peut être aussi mignon qu'il veut, je n'ai pas envie de m'embarquer dans une histoire avec lui. Ça n'arrivera jamais. Point.

— Merci ! dis-je avant de m'affaler à nouveau sur mon lit pour allumer la télé. Laisse-moi deviner : la *Quatrième Dimension* ?

Il se glisse jusqu'à l'oreiller, passe un bras autour de mes épaules et, d'un seul coup, tout revient à la normale.

TUTO N°5 : FAIRE DOUTER TOUT LE CLUB DE MATHS DE VOS APTITUDES EN ARITHMÉTIQUE

Si je vérifie mon smartphone assez souvent, peut-être que ma mère se transformera en parent digne de ce nom ? Si je scrute l'écran assez longtemps, peut-être la petite mention « LU » disparaîtra-t-elle, peut-être découvrirai-je que mon message n'a en fait jamais été consulté ? J'y jette un énième coup d'œil irrité.

— Renley ! s'exclame April, qui claque des doigts juste sous mon nez. Allô ? Renley ?

Je cligne des yeux l'espace d'un instant devant le tableau blanc et je déchiffre l'équation en un éclair.

— Euh… 6,784. Pardon.

Sous le regard mi-agacé, mi-impressionné que me jette April, je m'efforce d'arrêter de triturer ce satané téléphone et de me concentrer sur ma tâche. Mais quand je réponds à la question suivante avec un nouveau temps de retard, la moitié du club commence à me regarder comme si j'avais pris un coup sur la tête… Alors je m'excuse pour me précipiter aux toilettes. Heureusement que ce n'était qu'une heure d'étude entre élèves. Si

M. Sanchez, notre prof, m'avait vue jouer les idiotes, je crois que je serais un peu morte à l'intérieur.

Je fixe mon téléphone en me frottant les yeux. LU. LU. LU. Et aucune réponse en trois jours.

Je sais bien ce qui se passe. Je comprends qu'on n'ait pas envie d'avoir le moindre contact avec l'homme qui vous a quittée pour une version plus radieuse de vous-même, âgée, pour ne rien gâcher, de seulement vingt-cinq ans. Et je m'imagine sans mal que l'enfant de ce type-là puisse vous rappeler encore et encore, le rejet terrible que vous avez subi. Mais c'est tout de même votre enfant, à vous aussi, non ? Un être vivant et agissant, doué d'une vie intérieure, pas juste un concept, la fille de quelqu'un d'autre. Ce que je ne comprends pas, c'est qu'on puisse passer de… regarder des vieux films ensemble, écrasées sur le canapé, tous les week-ends, vernir les ongles de pieds l'une de l'autre, se goinfrer de pizza à la moindre occasion… bref, d'une relation que, pour être honnête, la plupart de mes amis jalousaient à mort, à… ne même pas lever le petit doigt pour obtenir ma garde.

Ne plus jamais répondre à un seul de mes appels ou de mes SMS. Ne jamais venir me voir, même à Noël. Refuser de passer même deux heures en ma compagnie quand je prévois, moi, de faire le déplacement. Ce n'est pas moi qui l'ai trompée et quittée, nom d'un chien !

Franchement, après leur divorce, Bruce Willis et Demi Moore ont acheté deux appartements dans le même immeuble. Est-ce que ce genre de séparation, c'est trop demander ? Je n'en sais rien. Et puis, aucune importance. Je peux me plaindre tant que je veux, je peux appeler, envoyer des messages, pleurer, ça ne changera absolument rien à ce petit statut qui ne cesse de me tourmenter. LU. LU. LU.

Je ravale mes larmes en m'essuyant les joues. Je jure de me concentrer sur les problèmes du club de maths. Deux ou trois profondes inspirations – bon, certes, un peu irrégulières –, et je sors dans le couloir presque désert. Je mords les lèvres, tendue à craquer.

— Oh là ! s'exclame une voix connue.

J'ai failli lui rentrer dedans. Il m'attrape par le bas pour m'empêcher de tomber.

— Ah… Seth ! Désolée, dis-je dans ma barbe.

Il s'écarte de moi en souriant et soudain, le contact de sa peau au hâle parfait sur la mienne se volatilise, à ma grande déception.

— Pas de souci. Tout va bien ? ajoute-t-il après m'avoir dévisagée.

Je bats vite des paupières pour tenter de chasser les dernières traces de mes larmes, mais j'ai une tête affreuse quand je viens de pleurer. Difficile de dissiper d'un coup de baguette magique les taches rouges qui, je n'en doute pas, marbrent tout mon visage – sans compter que la petite éruption cutanée que je me tape en ce moment ne gâche probablement rien.

— Ça va, la forme. Ne t'inquiète pas.

— Tu es sûre ? insiste-t-il, l'air dubitatif.

Je lâche un petit rire nerveux.

— Oui. C'est juste… tu sais, les parents… la routine, quoi.

Il acquiesce, adossé au mur.

— Hmm… La routine.

Je hoche la tête à mon tour, bras croisés – une pâle imitation. S'ensuit un silence lourd de sens. Ne sachant pas quoi faire de mes mains, je sors mon téléphone de ma poche. Vu l'heure, il est là pour un entraînement ou un cours de rattrapage.

— Tu ne vas pas tarder à rentrer, j'imagine ? reprend-il.

— Non… Pas encore. C'est l'heure du club de maths.

Et à ma droite, mesdames et messieurs : la seule, l'unique… Renley ! La fille la plus cool du lycée !

— Cool.

Voilà, qu'est-ce que je disais ? Hyper cool.

Il se redresse, un petit sourire aux lèvres.

— Alors je te laisse y retourner. On se voit demain en cours de cuisine ?

Je lui fais un petit signe de la main puis je reste une seconde plantée là, bouche bée, après son départ. Je fantasme sur ce mec depuis la première année de collège, mais notre relation s'est toujours résumée à : moi qui agite la main de loin en balbutiant une suite inintelligible de syllabes qui ressemble – si l'interlocuteur ne fait pas trop la fine bouche – à un salut, et lui qui me répond d'un sourire absent accompagné d'un petit signe de tête avant de tourner l'angle du couloir le plus proche. Je ne suis pas habituée à toutes ces interactions qu'on pourrait qualifier de « normales, comme entre deux êtres humains parfaitement égaux. » Mais je vais m'en remettre. Si, si. En tout cas, c'est absolument bienvenu.

Une fois remise, je rejoins ma salle de classe juste à temps pour répondre à une question de plus et m'éclipser à la fin de la séance en compagnie d'April.

— Dis-moi, lance-t-elle aussitôt, euh… tu te sens bien ?

— Très bien. Pourquoi ?

Elle me prend le bras d'un air complice.

— Tu étais plutôt distraite, aujourd'hui. Tu as l'air bizarre.

— Oui, c'est juste que… Oh, tu sais… ma mère. Tu vois le topo ?

Elle me fait signe qu'elle saisit parfaitement le problème. Elle sait sur quels sujets il vaut mieux éviter de remuer le couteau dans la plaie avec moi, et celui-ci en fait partie. Nous nous dirigeons vers la voiture de son frère, garée devant l'entrée, toutes vitres baissées, musique vieille de dix ans au bas mot qui hurle à fond dans les enceintes.

À l'autre bout du parking, Seth m'aperçoit, lève une main, alors je souris à mon tour avec un vague petit salut, avant de me planquer à l'arrière de la voiture de Keith. April m'observe, perplexe. Je me contente de murmurer un « T'inquiète », puis nous démarrons.

— Alors, les mauvaises graines, on a bien kiffé cette avalanche de chiffres ? nous demande Keith avec un grand sourire.

Le soleil met en valeur sa chevelure d'un blond presque blanc. C'est dans des moments comme celui-ci que la différence flagrante entre April et son frère me frappe le plus. Keith est grand, bronzé, propre sur lui, le cliché de l'Américain parfait dans toute sa splendeur, tandis que April est minuscule, pâle, couverte de piercings et change de couleur de cheveux toutes les deux semaines.

— Le pied, répond-elle. Dis, tu nous prendrais des bières avant de rentrer ?

Keith s'esclaffe.

— Mais bien sûr !

— Allez…

— C'est pile ce qu'il me faut sur mon casier judiciaire : « fournit régulièrement de l'alcool à des mineures », quelle bonne idée ! Non, désolé, je ne peux rien faire. Même pas pour toi ! ajoute-t-il avec un petit clin d'œil à mon adresse.

Je glousse, ce qui a le don de le ravir. Il adore me faire des avances à deux balles, mais il n'y a là rien de sérieux. Il a beau être mignon, il ne sera jamais rien d'autre que le grand frère d'April. Et presque un frère adoptif pour moi. Voyant que sa sœur pousse un long soupir d'agonie, il s'arrête quand même nous acheter deux milkshakes histoire de se faire pardonner. Ce qui me va très bien : ces trucs-là, c'est souvent dégueu, de toute façon.

On vient de se garer devant chez leurs parents quand Keith me lance au moment où j'ouvre la portière :

— Dis donc… Le mec à qui tu faisais signe, sur le parking tout à l'heure, c'est bien Seth Levine ?

— Oui, pourquoi ?

April me jette un regard en coin.

— Pour rien, répond-il. Il m'a bien semblé le reconnaître.

— Tu l'as déjà croisé ?

— Une ou deux fois… Je traînais pas mal avec sa sœur, à une époque.

Un petit regard entendu fait briller ses yeux bleu vif. April lui assène un bon coup de sac à dos.

— Aah… Beurk, Keith !

Il lève les deux mains pour protester de son innocence et recule dans un grand éclat de rire.

— Tu vois le mal partout ! Non, leur famille est hyper pratiquante. Le pire qu'on ait fait, c'est de s'embrasser… Rien de bien méchant, tu vois.

Excédée, April s'éloigne à grands pas vers la porte d'entrée et je m'engage derrière elle dans l'allée, non sans hausser les épaules. Il nous suit, toujours hilare, mais sa sœur continue de feindre l'écœurement jusqu'à ce qu'on se retrouve tous les trois bien au chaud sur le canapé. Keith nous lance deux manettes de PlayStation pour une longue séance de *Call of Duty* qui se poursuit sans interruption jusqu'à ce que l'heure arrive pour moi de rentrer.

Pendant tout ce temps, je ne regarde ni mon téléphone, ni mes tutos. Parfaitement détendue, je me laisse aller à rêver… Peut-être qu'un beau jour, Keith ne sera plus le seul à avoir embrassé un des membres de la famille Levine ? Qui sait…

TUTO N°6 :
APPRENDRE À FLIRTER

L'affaire me prend plusieurs jours au bas mot mais, au bout de toute une ribambelle de tentatives d'œil de biche aux résultats trop pharaoniques pour s'avérer vraiment concluants, mes efforts commencent enfin à porter leurs fruits. J'ai même l'air plutôt jolie ce matin – bien plus que d'habitude en tout cas : les cheveux ondulés à la perfection, j'ai les yeux audacieusement soulignés d'un impeccable trait de maquillage. C'est sans doute la première fois depuis le début de la troisième que je mets les pieds à l'école autrement qu'avec une pauvre queue de cheval et une simple couche de baume à lèvres.

Quand je le retrouve devant chez moi, Drew se met à siffler entre ses dents.

— Tu es sublime… C'est presque du gâchis de devoir aller au bahut en courant, ce matin.

— On ne va pas se mentir : je suis à tomber, aujourd'hui.

— Ce n'est pas moi qui vais te dire le contraire !

Il me scrute de la tête aux pieds, deux fois.

— O.K., on prend ma voiture.

En temps normal, je protesterais – je tiens au seul sport que je pratique régulièrement –, mais pour une raison que j'ignore, l'idée de conserver mon tout nouveau sex-appeal me plaît furieusement. Alors je me glisse dans sa voiture de poche, dont ma tête touche presque le plafond. Elle est propre, mais assurément très vieille. À l'extérieur, la peinture argentée s'écaille sur les jantes et le levier de vitesse fait grise mine. Exactement le type de bagnole qui maintient le niveau d'adrénaline de ses passagers au maximum à chaque trajet : les freins sont purement et simplement capables de nous lâcher à tout moment. Il pourrait sans doute en changer, mais il ne le fait pas et je n'ai jamais compris pourquoi.

— Tu as regardé tes statistiques de fréquentation ?

La voiture toussote, vibre violemment au démarrage et s'engage dans la rue au pas.

— Pas depuis la semaine dernière, non.

J'ai discrètement posé mes affiches en ville et au lycée avant de définitivement lancer le projet, que j'ai intitulé *Sweet Life*. J'ai pris le temps de bidouiller quelques visuels pour les divers espaces publicitaires que je m'étais promis d'acheter en ligne, et je publie de nouveaux tutos le plus régulièrement possible, ce qui commence à faire un nombre conséquent. Mais je n'ai pas grand espoir que mon audience décolle vraiment.

— Elles ont pas mal augmenté.

J'écarquille les yeux de surprise, avant de les plisser, soupçonneuse.

— Laisse-moi deviner : parce que tu as personnellement lancé pas moins de cinq cents visionnages ces deux derniers jours ?

Il s'esclaffe, prend un tournant et accélère sans se soucier des bruits inquiétants du moteur.

— Non, même pas… Enfin, j'y jette un œil de temps en temps, en particulier pour tes fabuleux conseils capillaires et cosmétiques. Mais tu devrais aller regarder : le compteur de vues a enfin commencé à bouger. C'est encourageant, non ?

Je m'enfonce dans mon siège avec un sourire. Rien n'est fait, mais l'Empire State Building et Broadway dansent dans mon esprit. Après tout, tant pis pour ma mère – New York sera tout aussi génial sans elle. Une fois à l'école, j'embrasse Drew sur la joue avant de bondir hors de la voiture et de rejoindre April au pas de course pour filer en cours de maths. Bras dessus, bras dessous, on parle, sans surprise, de mon maquillage sexy et du voyage qui nous attend. En gravissant le perron, elle lance un coup d'œil au véhicule qui m'a déposée.

— Alors, vous sortez enfin ensemble ? me demande-t-elle.

— April…

Dans un grand éclat de rire, elle m'entraîne à travers les couloirs. Nous arrivons en cours beaucoup trop tôt – pas étonnant puisque je suis venue en voiture.

— Bonjour, Renley, trompète M. Sanchez. Tu as entendu parler du voyage à New York, bien sûr ?

Maintenant que les participants confirmés se multiplient, il n'arrête plus de faire la pub de son projet.

— Évidemment !

— Ça va être tip-top, reprend-il. Démentiel ! Il faut absolument en être…

J'éclate de rire. M. Sanchez est le coach du club de maths et le prof préféré d'à peu près tous les élèves. (À part ceux qui atterrissent en cours de soutien et qui détestent tout ce qui a un rapport avec les chiffres. Mais avec eux, le pauvre n'avait de toute façon aucune chance.)

— Tu envisages de venir ?

Il tire une chaise de sous un bureau, la retourne et s'y assied à califourchon, juste devant nos tables. Le visage radieux d'April ne lui laisse probablement aucun doute, mais je réponds quand même :

— Vous pouvez compter sur moi.

— Génial ! Je me disais bien que tu n'allais pas laisser April arpenter toute seule la jungle de béton de la métropole.

— Une véritable amie doit savoir se sacrifier pour la bonne cause… intervient dignement April, qui souffle sur sa frange noir de jais, le visage rayonnant.

— Quelle éloquence ! conclut Sanchez, taquin.

Avant l'arrivée du reste de la classe, il retourne à son bureau fouiller dans ses papiers et se draper dans ses atours de vrai prof qui ne plaisante pas. April triture sans fin l'anneau qu'elle a à la lèvre, ce qui me fait grincer des dents. Métal contre émail : brrr !

— J'ai de la news qui croustille… commence-t-elle, penchée sur mon bureau. Hier, j'avais un rencard !

— Oh ho ! (Nos têtes se rapprochent.) Avec qui ?

— Avec Cash.

— Et ?

— Le film n'était pas génial, alors… on s'est roulé des galoches toute la soirée ! J'ai passé un super moment.

— Il se débrouille comment ?

Elle s'adosse à sa chaise et me décoche un large sourire.

— Plus que bien…

Cash débarque une seconde plus tard. C'est un cliché vivant, celui du crack en maths : lunettes à épaisses montures carrées, cheveux en bataille, une intelligence nettement au-dessus de la moyenne. Mais, je dois le reconnaître, très sympa et loin d'être désagréable à regarder. (Et, contre toute attente, il semble savoir rouler un palot plus que décemment.) Il jette un coup d'œil désinvolte à April puis va s'asseoir l'air de rien, mais sans parvenir à dissimuler l'étincelle qui s'est allumée au fond de son regard. On se marre en douce toutes les deux. Si les garçons savaient ce que les filles se racontent…

Le cours du jour porte sur des équations qu'April et moi pourrions résoudre même en phase de sommeil profond. Je fais passer ma calculatrice en mode clavier.

CASH VA A NY ?

Je la glisse sur son bureau. Subtil… La plupart des élèves savent seulement qu'en retournant une calculette où on a tapé « 371830 », on peut lire « DÉBILE ». Mais on peut mettre les modèles les plus évolués en mode clavier et discuter à l'infini. Un téléphone ? Interdit de l'utiliser en cours, mais une calculatrice… Et si un prof flaire l'entourloupe, il suffit d'appuyer sur une seule touche pour tout effacer. Le truc le plus utile qu'on ait jamais appris en cours de maths, April et moi.

Elle lève un sourcil désabusé, les lèvres pincées.

ON S EN FICHE. C EST DANS MILLE ANS. ON N EST MEME PAS OFFICIELLEMENT ENSEMBLE !

PAS FAUX.

JE VEUX ALLER VOIR UNE COMEDIE MUSICALE... LE FANTOME DE L OPERA !

OU HAMILTON !

OOOH OU UN TRUC SEXY. DES CHIPPENDALES ! DES MECS EN STRING !

Je m'esclaffe en plein milieu du cours de Sanchez, qui n'a pas l'air d'apprécier, alors j'efface sans hésiter toute trace de notre conversation. De toute façon, fous rires, strip-teasers et dessous masculins… il était temps de passer à la suite.

Le reste des exercices se traîne lamentablement, interminable. Après quoi, April se rend à son cours de bio pendant que moi, j'ai une heure de libre. Je me demande bien pourquoi j'ai eu la bêtise de choisir d'avoir un trou juste avant le déjeuner au lieu de juste après, mais une chose est sûre : on ne m'y reprendra plus.

Dans les couloirs déserts du lycée, aux murs duquel pendent encore certaines de mes affiches, j'allume mon téléphone pour y entrer le mot de passe du Wifi. (L'administration ne le donne pas vraiment, mais j'ai torturé M. Sanchez pour l'obtenir – torture mathématique.) Je me connecte sur mon compte. Drew avait raison : le nombre de vues de mes tutos a bien augmenté depuis que j'ai multiplié les sujets sur le maquillage, la coiffure et toutes ces inepties auxquelles je ne connais pourtant pas un traître mot.

Je laisse tous les contenus déjà publiés en accès gratuit, mais pourquoi ne pas amorcer le grand tournant… À terme, c'est ce qui va m'aider à partir à New York ou au contraire briser tous mes espoirs, faire la joie ou le malheur d'April : je passe à l'étape monétisation ! J'ai déjà monté une petite vidéo avec des cartons de texte rigolos pour illustrer le projet, un lien vers PayPal et un appel aux questions les plus diverses.

À l'heure du déjeuner, j'en ai déjà reçu au moins une. « Comment flirter avec un garçon ? »

Je me doute qu'il va me falloir pas mal de travail pour réussir ce tuto-là, alors en dehors de mes habituels posts gratuits, je me laisse le temps de réfléchir plusieurs jours avant de tenter quoi que ce soit. « Comment flirter avec un garçon ? » Un truc auquel je n'avais jamais vraiment réfléchi jusque-là. Et malheureusement, je ne peux pas demander d'aide à Drew, ce serait trop délicat. En plus, je pourrais me pointer chez lui les cheveux en bataille, les dents pas brossées, avec mon pyjama froissé de la veille, qu'il voudrait toujours me sauter dessus…

Non. Il va falloir que je fasse cette expérience sur quelqu'un d'autre, ce qui pourrait potentiellement tourner… plus ou moins à la catastrophe. Malgré tout, j'entre en cours de cuisine la tête haute. La somme de ce que j'ai lu à ce sujet sur une myriade de sites Internet se balade dans ma tête, et j'espère sincèrement qu'aucun de ces conseils n'a été inventé par un vieux type chauve fatigué de *World of Warcraft* qui aurait décidé à la place de troller des ados.

— Salut, lance Seth quand je m'installe à côté de lui.

Nom d'un chien qu'il est craquant ! Sa plastique est tellement parfaite que parfois je me demande s'il n'est pas un peu vampire sur les bords.

— Salut.

Première étape : le regarder dans les yeux. Combien de temps, trente secondes ? C'est trop long ? Mais bien sûr que oui ! A… Arrête ça tout de suite. Fais quelque chose, enfin ! Je ne sais pas, moi… Bats des cils ? Détourne le regard ?

— Tu vas bien ? me demande-t-il, vaguement inquiet.

— Euh… oui. J'ai un truc dans l'œil. Je dois sûrement être allergique à ce cours.

Il se marre. C'est bon signe, non ?

Je vais chercher la pâte à pizza que j'ai préparée la veille et j'en profite pour déposer celle de Seth devant lui. Il a déjà enfariné mon plan de travail – plutôt gentil de sa part. Depuis le jour où il a échangé nos préparations (et décroché pour sa peine quelques conseils en maths), plus encore depuis le soir où on s'est croisés après ma crise de larmes aux toilettes, règne entre nous une espère d'entente tacite (ténue, je l'avoue, mais réelle).

Seth déballe nos deux boules de pâte pendant que je cherche des rouleaux à pâtisserie dans le tiroir sous notre table de travail. C'est à cet instant que je décide de mettre à exécution la Technique de séduction n° 2 : Mettre en valeur ses atouts. Je me penche sans me presser – ce jean met tout ce qu'il faut en valeur – et je cambre légèrement les reins.

Ouaip… Absolument imparable.

Soudain, mes fesses entrent en collision avec ses jambes, il pousse un grognement de surprise, et deux grosses masses molles s'écrasent sur mon dos, avant de finir par terre. Plop… Notre pâte ! Je me relève et me retourne d'un seul coup. Je vois trente-six chandelles quand mon front heurte de plein fouet son menton. Douleur aveuglante. Paralysante, même.

Seth recule d'un pas chancelant, une main appuyée sur la mâchoire. Moi, je reste là sans rien faire, les paumes plaquées sur ma tête, le visage rouge pivoine. J'attends la mort, elle sera toujours plus douce que cette torture.

— Désolée, je, euh… je ne voulais pas te toucher les, hum, je ne suis pas un pervers ni rien.

Il évite de croiser mon regard. Il croit que c'est sa faute ? En temps normal, je recourrais à l'autodérision et je répondrais que c'est la mienne (ce qui est le cas.) Mais aujourd'hui, je suis en face de Seth. Seth ! Et c'est pour la science. (La science, un tuto… c'est du pareil au même.) Je me contente de hausser les épaules et de lâcher :

— Ce n'est rien, ne t'en fais pas.

Il se mordille les lèvres un instant avant de se tourner vers le tableau, une main levée bien haut.

— Euh… monsieur Cole ? J'ai fait tomber ma pâte et celle de Renley. Est-ce qu'il vous en resterait une ou deux ?

Avec un petit bruit d'écœurement, le prof me lance un regard en coin.

— C'est bien toi, le responsable de ce désastre, Seth ?

— Oui.

— Peut-être faudrait-il que je t'éloigne de Renley. On dirait qu'elle parasite tes capacités.

Je glousse, gênée, en agglomérant les deux boules de pâte poussiéreuses entre mes paumes. M. Cole désigne le réfrigérateur, excédé.

— Troisième étagère en partant du haut. Je vais devoir te retirer des points, Seth. Renley, ta note reste inchangée.

J'ai l'impression de sentir la température de la pièce monter en flèche. Mon visage tourne au cramoisi. Bravo ma vieille, sacrés atouts !

Seth revient avec les nouveaux pâtons mais hésite une seconde face à la table.

— Extension, flexion… Dis-moi que tu ne prévois aucune autre manœuvre dangereuse dans un futur proche.

— Non.

— Bien. Alors je dois pouvoir faire ceci sans danger.

Et il les dépose chacun d'un côté de la table. Étonnée par sa décontraction, je lui rends son sourire malicieux.

Il déballe sa boule de pâte, la saupoudre de farine et empoigne son rouleau. Je n'aurais sans doute pas pensé à procéder ainsi, mais Seth ne se trompe jamais sur la marche à suivre, alors je l'imite au détail près.

Il commence ensuite à aplatir sa préparation. Jamais je n'aurais cru que regarder un garçon étaler de la pâte à pizza aurait pu me troubler de cette manière, mais pas de doute : je me trompais. Son dos et ses épaules se contractent quand il pousse le rouleau pour donner forme à la pâte… L'espace de quelques instants, je suis tellement hypnotisée par ce spectacle que j'en oublie tout ce qui touche à mes propres ingrédients.

C'est là que je décide de recourir à la Technique de séduction n° 3 : Faire preuve de charme et d'esprit.

Je me penche sur la table en entortillant une mèche de cheveux autour de mon doigt pour faire bonne mesure.

— Tu sais, avec tous ces allers et venues que tu fais avec ton rouleau, tu pourrais tout aussi bien être…

Oh non… Je n'ai pas la moindre idée de chute pour cette tirade. Ne JAMAIS commencer une phrase sans savoir comment la terminer.

— Aussi bien être… allé… venu…

Il s'interrompt dans sa tâche et me dévisage dans la plus complète expectative. Et ensuite… rien. Il ne me vient absolument rien pour me sauver du naufrage.

— Je, hum… Pardon. Je crois que je viens de faire un mini AVC.

— Si tu le dis.

Et il se remet à jouer du rouleau. C'est à cet instant que je découvre que même penchée vers lui, je n'ai jamais cessé d'aplatir ma pâte, qui ressemble désormais à une espèce de donut aux contours irréguliers. Je la tapote du bout des doigts une ou deux minutes, mais rien n'y fait. Avec un grognement de désespoir, je pose brusquement la tête sur mon plan de travail. Seth sursaute.

— Ça va, Renley ?

Il dépose son instrument à côté de ce qui doit être le fond de pizza le plus réussi du monde. Un rond parfait, une épaisseur identique en tous points.

Le visage toujours plaqué contre la table enfarinée, je marmonne :

— Bonne question.

Je me relève, essuie ma joue et refais de ma pizza-donut une boule bien ronde.

— Il faut que tu roules d'abord dans ce sens, m'explique Seth.

Il place avec précaution le rouleau au milieu de la boule, puis le déplace d'avant en arrière.

Je l'imite, du moins c'est ce que je crois, mais en moins de quinze secondes ma pâte se déchire déjà de partout.

— Tu y es presque. Mais il faut faire plus comme ça.

Et, comme je suis manifestement entrée dans une dimension parallèle, Seth se penche vers moi pour m'attraper les poignets. Il se met à rouler mon ustensile d'avant en arrière et mes bras suivent le mouvement. Il ne s'est pas placé derrière moi ni rien. En fait, ce qu'il fait ne devrait susciter chez moi aucune excitation, et certainement pas me faire tourner la tête. Ce n'est qu'un simple contact par le poignet. Pourtant, j'ai bien du mal à me concentrer sur la pâte. Mais il le faut. Je m'efforce de m'imprégner des nuances de sa technique : la pression qu'il applique, le rythme exact de ses mouvements. Soudain, le visage de Drew m'apparaît dans un éclair, son torse contre mon dos, ses poignets contre mon cou, ses doigts qui nouent la cravate. Prise d'une quinte de toux, je me redresse, ce qui me rapproche un peu plus de Seth et ne fait rien pour apaiser mon pauvre cerveau surchauffé.

Bon sang, ma vieille ! Reprends-toi.

Je m'accroche désespérément à ma mission.

Quand Seth s'écarte, ma température corporelle a augmenté de plusieurs degrés et mon pouls bat à mille à l'heure, mais je suis en train de mettre la dernière touche à un fond de pizza de forme parfaite.

Satisfait, il retourne à sa pâte.

Enfin une technique de séduction que j'exécute de toute évidence à la perfection : La Demoiselle en détresse. Je ne sais pas trop s'il faut s'en réjouir, malgré tout…

TUTO N°7 : S'ÉPILER LE MAILLOT (JUSQU'À CE QUE MORT S'ENSUIVE)

Je tape trois coups bien sonores à la porte d'entrée de la maison d'April – c'est sans doute superflu, mais la dernière fois que j'ai décidé de profiter de mon statut privilégié de quasi membre de la famille pour me dispenser de m'annoncer, je suis tombée sur son père en slip. Or, pour le dire sans détour, ce n'est pas du tout le genre de père qu'on a envie de voir en slip. Et puis qui se balade en sous-vêtements dans sa salle de séjour, d'abord ? Enfin bref, depuis, je frappe. April n'a pas jugé utile de remettre en question la sagesse de ma décision.

Je l'entends hurler ce qui ressemble à un « Entre ! », mais ça pourrait tout aussi bien être presque n'importe quel autre mot. Une porte en bois massif, ce n'est pas l'idéal pour garantir une propagation adéquate du son. J'attends quelques secondes, au cas où, avant de franchir le seuil. Je constate avec soulagement que son père, installé sur le canapé, est habillé de pied en cap. Il me sourit et me fait un petit signe amical que je lui rends aussitôt.

— Renley ? Ma puce ? s'égosille la mère d'April depuis la cuisine.

Elle s'approche en tablier, escarpins abricot et rouge à lèvres écarlate. Elle sort tout droit d'un film des années 40, j'en mettrais ma main à couper. C'est absolument craquant.

— Bonjour ! dis-je.

— Tu veux des cookies ? Raisins secs et farine d'avoine, aujourd'hui.

Bien entendu. Je suis même surprise qu'aucune tarte aux pommes ne soit en train de refroidir sur le rebord de la fenêtre. (Enfin, je dis ça mais si ça se trouve…)

— Non merci, c'est gentil !

Je prends les escaliers quatre à quatre jusqu'à la porte entrouverte de la chambre d'April où je laisse tomber mon sac au beau milieu de son chambard habituel.

— Surtout évite les cookies, m'avertit-elle aussitôt. C'est une recette satanique. Je t'en foutrais, moi, des raisins secs et de la farine d'avoine !

— Ça ne me dit rien qui vaille.

— Depuis qu'elle est tombée sur un site sur le régime sans gluten, Maman ne jure plus que par ces conneries. De la farine de coco pour remplacer le sucre, tu y crois, toi ? Moi, j'ai de gros doutes. Mais ce dont je suis sûre, c'est que ces cookies sont sortis des flammes de l'enfer pour nous détruire, alors ne te laisse pas avoir !

Je m'étrangle de rire. Elle se redresse sur son lit, écarte la frange qui lui tombe dans les yeux.

— Donc… On te fait des mèches. Blond platine ?

— C'est ça.

Je lui lance la coloration bon marché que j'ai achetée. Elle l'examine sous tous les angles, comme une coiffeuse professionnelle.

— Je vais t'en piquer un peu, m'annonce-t-elle. Tu vas me teindre en bleu.

— Mais alors pourquoi les éclaircir ? dis-je, étonnée.

Elle lève les yeux au ciel.

— Tu ne connais rien de rien à la mode capillaire, mon jeune padawan. On ne peut pas simplement passer du noir au bleu. Il faut d'abord les décolorer.

Je prends ce détail mentalement en note pour une future vidéo. Je n'ai toujours pas préparé le tuto qu'on m'a réclamé sur les diverses techniques de séduction, parce que, soyons honnête, ma tentative de l'autre jour a été élue à l'unanimité pire flirt de toute l'histoire de l'humanité. Mais les questions moins délicates à traiter ne manquent pas et donc, en cette belle journée, j'explore les subtilités de l'éclaircissement capillaire fait maison, sans oublier un autre sujet plus… potentiellement douloureux, dirons-nous.

— Ah O.K. Sinon, j'ai aussi acheté ça.

Je lui lance une petite boîte sur les genoux, avant de me cacher le visage entre les mains.

— C'est… c'est un kit d'épilation du maillot.

— C'est bien ce qu'il me semble.

— Attends… Tu veux que je t'aide à…

J'empoigne un plaid que traîne là pour me dissimuler dessous. Quand je me risque à lancer un coup d'œil depuis ma tente improvisée, April ouvre des yeux hagards.

— Renley… Est-ce que tu envisages de montrer ton entrejambe à quelqu'un ?

— Non !

Je me jette sur son lit pour m'enfoncer sous la marée de coussins qui le recouvre. Elle en a tellement – et de formes et de tailles toutes plus ridicules les unes que les autres – qu'en général, on ne voit pas un centimètre carré de sa couette.

Elle glousse devant mon visage qui vire au pourpre, et ouvre l'emballage. Je le lui arrache.

— Hors de question qu'on commence par ça. La coloration d'abord, espèce de sadique !

Elle ricane toujours quand elle ouvre le deuxième paquet pour en extraire une paire de gants en plastique.

— Attends deux secondes, il faut que je me lave les cheveux.

— Non ! hurle-t-elle sans prévenir. Jamais de shampoing avant une décoloration. Il faut les laisser bien sales, bien gras, sinon le produit éclaircissant va les abîmer irrémédiablement.

Je reste assise entre un coussin grenouille géant et un autre en forme de bonbon, plus massif encore. Je commence à me demander si ce tuto en vaut vraiment la peine. Mais la boîte de coloration n'était vraiment pas chère : il suffit que cinq personnes acceptent de payer la réponse pour qu'il devienne rentable – à peine plus si je me plante en beauté et que je me retrouve contrainte de m'offrir une série de séances chez le psy.

— C'est parti ! lance April.

Les mains jointes en cloche, un sourire de psychopathe aux lèvres, elle ajoute d'une voix caverneuse :

— Prenez plaze dans ze fauteuil, mon enfant.

Je m'avance lentement, un peu comme dans le couloir de la mort.

— N'ayez crainte, voyons... Vous ne zentirez rien.

Elle part d'un grand rire de maniaque, la tête renversée en arrière. Je n'en mène pas large. Pour me rassurer, je déverse le contenu du paquet sur la coiffeuse.

— Il nous faudrait un bol pour faire nos mélanges.

Elle descend à la cuisine pendant que je passe en revue les divers ustensiles à utiliser. Cette opération ne sent pas très bon. Sans rire, cette histoire de tutos a de grosses chances de ne rien donner : et alors, je resterai coincée, seule, dans mon petit bled à des centaines de kilomètres de New York. April, pire encore, risque de finir par se dessécher et mourir.

Il me reste moins de six mois pour trouver deux mille dollars au bas mot, et jusqu'à maintenant je n'en ai récolté que... vingt. Et je suis quasi certaine que la majorité de cette somme vient de Drew, qui paie pour toutes les vidéos que je poste. Mais j'ai tout de même un certain nombre d'abonnés, maintenant. Ça commence à chiffrer, d'ailleurs. Simplement, peu sont enclins à mettre la main à la poche. C'est pourquoi il va me falloir enclencher la cinquième. Pousser ces followers à la dépense. Et dans la vie, il faut prendre des risques pour atteindre les objectifs qu'on s'est fixés, non ? (Dans ce cas précis, ce sont mes cheveux et mon entrejambe que j'expose à un avenir incertain.)

April rapporte un bol dans lequel je mélange la solution, avant de la laisser reposer. Je me carre dans son fauteuil de bureau, que je fais lentement tourner pour tromper notre attente. Les enceintes de la chambre crachent un morceau aux arrangements discordants – un groupe punk que je ne connais pas.

Trente secondes plus tard, une voix country accompagnée de guitares se met à beugler de l'autre côté du mur. April plisse les yeux, furieuse, et pousse la porte de la pièce. Keith se tient dans le couloir, tout sourires, un air parfaitement innocent sur le visage.

— Qu'est-ce que tu fabriques ? lui demande-t-elle.

C'est plus une accusation qu'une question.

— Mais j'écoute de la musique, bien sûr.

— Arrête de nous casser les oreilles avec cette merde.

— Tout de suite les grands mots. Il n'y en a pas, d'ailleurs, pour décrire la soupe qui sort de tes enceintes.

— Keith, éteins-moi ça, fait-elle avec un soupir.

— Toi d'abord. (Il renifle, hilare, quand elle ne bouge pas, bras croisés.) Bon, tant pis ! Tu as gagné, je vais me chercher un bon petit cookie cuisiné par Belzébuth.

Dès qu'il lui tourne le dos, April fait mine d'approcher de la porte voisine de la sienne.

— Interdiction d'entrer dans ma chambre en mon absence, menace son frère depuis l'escalier. À vos risques et périls, les filles.

— KEITH ! JE TE HAIS.

Mais je sais qu'elle se le tiendra pour dit. Avec Keith, les châtiments sont rapides et expéditifs. Ils ne valent pas le trop court sursis que nos oreilles y gagneraient. À bout de nerfs, April pousse le plus gros soupir de tous les temps avant de courir à la rambarde hurler à tue-tête :

— Je déconnais, mon frère chéri ! Je t'aime ! Surtout, ne pars pas à la fac l'an prochain pour ne plus jamais revenir !

Keith a pris plusieurs années de césure après le lycée pour tenter de se lancer dans la bande dessinée. Jusqu'ici, ça n'a pas donné grand-chose, donc je crois que ses parents lui mettent un peu la pression pour qu'il passe à autre chose. Il va peut-être s'inscrire à la fac ? C'est drôle, mais j'ai du mal à l'imaginer en étudiant modèle.

Son rire résonne depuis le rez-de-chaussée. Parfois, quand je vois Keith et April ensemble, je me demande comment ce serait d'avoir des frères et sœurs. Mais vu que la moitié du temps, il lui sort par les trous de nez, je ne suis pas sûre que ce soit la panacée.

La cadette du duo se rassied sur la montagne de coussins qui lui sert de lit, non sans jeter un regard venimeux à ses enceintes. Au bout d'une bonne minute de délibérations visiblement amères, elle finit par s'avouer vaincue et éteindre sa musique. Quelques secondes plus tard, la country s'évanouit mystérieusement à son tour. April renifle bruyamment, le visage encore crispé par l'exaspération.

— La teinture devrait être prête, maugrée-t-elle.

— Ah… O.K.

Je sais déjà que dans deux minutes, elle aura tout oublié. Elle attrape quelques pinces pour relever mes cheveux un peu n'importe comment. Le papier aluminium crisse à mes oreilles à mesure qu'elle le dispose tout autour de ma tête. Une de mes jambes commence à trembler. Plus on approche du moment fatidique, plus ma nervosité augmente.

— Détends-toi. J'ai fait ça des dizaines de milliers de fois. Tu crois que mes cheveux changent de couleur tout seuls chaque mois ?

Je tente de me rassurer – elle n'a pas tort, après tout. Au bout de quelques minutes, elle m'a appliqué une bonne partie de la préparation sur la tête. Ma chevelure est tellement pleine d'alu que je peux sûrement capter la radio locale.

— À mon tour ! décrète-t-elle.

Elle fait tournoyer ma chaise pour m'envoyer valser sur son lit. Pour une fois, je remercie le ciel qu'elle cultive un tel amour des coussins : un nuage de mousse, de plumes et de duvet m'ouvre les bras et adoucit ma chute. April s'installe à ma place et me tend le reste de la teinture. La brosse dans une main, le bol dans l'autre, je reste immobile, le regard fixe. Jamais elle n'aurait dû me confier cette tâche, elle fait une énorme erreur.

— Ne fais pas ta mauviette. Tu n'as qu'à en mettre tout le long, ici. (Elle désigne le bas de son épaisse frange droite.) Ensuite, dessine deux lignes comme ça… (Ses doigts vont du sommet de sa tête à la pointe de ses cheveux.) Que tu relieras ensemble à leur extrémité.

Elle se retourne : ses deux index effleurent le bas de sa coupe et se retrouvent au milieu.

— Laisse-moi résumer : tu veux que je décolore le contour de tes cheveux ? Comme si on avait dessiné au feutre jaune le tour de ta chevelure… Tu te prends pour un personnage de dessin animé ?

— Tu as tout compris. Mais je ne vais pas rester comme ça. Ensuite, je vais les teindre en bleu. Regarde !

D'un des tiroirs de sa coiffeuse, elle sort une boîte cabossée qu'elle me lance. Elle a choisi un turquoise particulièrement vif. À moi, cette couleur paraît extravagante et, sur moi, elle le serait sans doute. April, elle, aura seulement l'air d'une Barbie punk et rock'n'roll.

Je prends une profonde inspiration avant de me mettre au travail.

— Et si je te grille les cheveux ?

— Ils sont déjà morts. Tu ne peux plus rien leur faire. En plus, j'y ai étalé une tonne d'huile d'olive hier soir. J'ai recommencé juste avant ton arrivée. Ils ne risquent rien et le résultat sera merveilleux.

Se tartiner les cheveux d'huile d'olive ? Beurk, très peu pour moi. Mais je note l'astuce pour un futur tuto.

Je dessine scrupuleusement le contour de sa coupe au carré que j'enrobe ensuite avec soin de papier aluminium. À la fin, elle semble tout droit sortie d'un film cyberpunk des années 80.

— Bon, dit-elle, en attendant que ça fasse effet, on ferait aussi bien de t'épiler le maillot.

— Non ! Oublie ça. C'était une mauvaise idée.

— D'accord, mais c'est toi qui en as parlé.

Assise sur son lit, je tripote rubans et fanfreluches avant de me décider à lever les yeux vers elle.

— Au fait, Keith rentre à la fac cet automne, finalement ? Je croyais qu'il voulait devenir marine ?

Son visage se décompose aussitôt... Je n'aurais jamais dû aborder le sujet.

— Je ne sais pas trop, à vrai dire. Il était bien parti pour étudier la comptabilité. Et puis il a rencontré une saloperie de recruteur de l'armée, réussi haut la main tous les tests... et maintenant il ne parle plus que de ça !

Que répondre à ça ? Je pose ma main sur celle d'April.

— Il défend une cause noble.

— Oui, je sais bien. Il servirait son pays, c'est formidable, merveilleux, admirable. Mais je n'ai pas envie qu'il le fasse. J'ai peur qu'il...

Elle fixe un point sur le papier peint, derrière moi.

— Je...

Mais sans m'écouter, elle se lève d'un bond, m'adresse un grand sourire en plastique et embraie sur autre chose.

— J'ai vu Cash, hier soir.

Voilà qui met un terme à la conversation précédente.

— Ça s'est bien passé ?

— Disons que les garçons adorent embrasser les filles qui ont un piercing à la lèvre.

Je n'ai pas la moindre idée de la différence que ça peut faire – il est sur sa lèvre supérieure. Mais admettons. Je souris.

— Tu m'en diras tant…

— Et toi, tu ne sors toujours pas avec ton top model de voisin ?

— Toujours pas.

— Je n'y comprends rien. Rien du tout. Si j'avais un voisin aussi beau, qui en plus vénère le sol sur lequel je marche, je passerais mes journées chez lui.

— C'est déjà le cas, je te signale.

— Mais justement… Tu y passes tout ton temps, vous vous faites des câlins, tu dors dans son lit, etc. Et pourtant il ne se passe rien entre vous ?

— C'est compliqué, dis-je en me tordant les mains.

— Pas vu d'ici, je t'assure.

C'est un tabou dont je n'ai pas la moindre envie de parler, alors pour changer de sujet je choisis la seule option qu'April ne laissera pas passer :

— Bon, on passe à l'étape épilation ?

Elle pousse un petit rire machiavélique et se jette sur le kit que j'ai apporté.

— Qu'est-ce que tu veux ? Un ticket de métro ? Un cœur ? Ooooh, je sais ! Une étoile !

Ils font carrément des pochoirs ? Je rêve ! Je regrette aussitôt ma décision et j'esquisse un pas en arrière.

— Oh allez ! s'exclame April. Tu ne sentiras rien, tu verras.

— Sérieux ?

— Promis, juré. Ils fournissent une petite crème anesthésiante qui marche vachement bien. C'est comme s'épiler les sourcils.

Je la dévisage avec une grimace incrédule.

— Tu m'accompagnes, dans ce cas ?

— Je viens de le faire, il y a moins de deux semaines.

— Oh…

Elle commence à réchauffer les bandes de cire entre ses mains. De mon côté, je décide de ne pas utiliser de pochoir. Hors de question que je ressemble à une strip-teaseuse. Je suis en train de faire une bêtise, cet argent n'en vaut pas la peine… Mais je sais bien que si. Parce que si je ne l'accompagne pas à New York, April va passer un sale quart d'heure. Et pas seulement elle, d'ailleurs. Le silence absolu de ma mère a été l'affront ultime, mais maintenant que j'en ai fait les frais, je n'ai plus rien à perdre. Je donnerais n'importe quoi pour faire le voyage, à présent.

April me tend la pommade anesthésiante.

— C'est parti, mon kiki. Baisse ton froc, ma jolie !

Je sautille jusque de l'autre côté du lit, hors de sa vue, et je retire le bas. J'applique ensuite la crème. Elle a intérêt à fonctionner. Mon amie me tend les bandes. J'ai le cœur dans la gorge. Une douleur atroce m'attend, je le sens.

— Tu es sûre que c'est indolore ?

— Certaine. Je viens juste de le faire, je te dis. Ce n'était pas si terrible.

Un peu rassurée, j'attrape les bandes.

— Place-les là où tu veux, m'ordonne-t-elle.

Je prends une profonde inspiration et je m'exécute.

— Attends quelques instants. Il faut que la cire ait le temps de bien adhérer aux poils.

Eh merde… Je vais déguster. Mais il n'y a plus rien à faire maintenant.

— Prends-en une dans chaque main et, à trois, tire-les d'un coup sec.

Je suis au bord de la crise de panique. Je sais que c'est ridicule. April a dit que ça ne me ferait pas mal. Elle a dit…

— Un…

Je roule les épaules et fais craquer mon cou, comme avant un match de boxe.

— Deux…

J'attrape les bandes.

— Trois !

Je tire.

Un hurlement de bête blessée monte de ma gorge.

— April, espèce de saloperie de sale garce hypocrite !

J'ai tellement mal que je ne trouve même pas les mots pour l'insulter. Elle se tord de rire au point de tomber de sa chaise.

— Pourquoi ? glapis-je, haletante, entre deux montées de larmes. Pourquoi tu m'as fait ça ? C'est pire qu'un ACCOUCHEMENT !

Étendue sur le parquet, elle peine à respirer tellement elle se gondole. Entre deux hoquets, elle parvient à articuler :

— Enlève les autres : tu ne vas pas te balader avec des bandes de cire collées à l'entrejambe !

Si. Bien sûr que si. Je baisse les yeux. Non, impossible. Misère… La mort dans l'âme, je me contrains à arracher les quatre dernières. Vite, et dans la douleur.

— Sérieusement, April, tu l'as vraiment fait il y a deux semaines ? Une souffrance pareille, ça ne s'oublie pas…

— Sans blague ? Qu'est-ce que tu crois : j'ai testé une bande, une seule, et ça m'a bien suffi. J'ai rasé le reste direct.

Et elle se remet à pousser son ricanement de sorcière démoniaque.

Je n'ai jamais autant détesté quelqu'un de toute mon existence. Elle et son fou rire… J'espère qu'elle va mourir de suffocation ! Et qu'elle ne compte pas sur moi pour lui enlever l'alu de ses cheveux. Elle n'aura qu'à se pointer dans l'au-delà avec sa tête de cyborg, rien à foutre.

Je m'effondre par terre, les mains plaquées sur mes parties intimes endolories, folle de rage, retenant les larmes de dépit débiles auxquelles je refuse de céder.

— Ah… C'est l'heure de te rincer la tête ! lance April.

Je refuse qu'elle s'approche de mes cheveux. Mais il faut bien que j'y passe. Je reste encore une minute ou deux allongée par terre à me lamenter sur mon propre sort avant de me relever.

— O.K. Vas-y mais, moi, je ne touche pas aux tiens.

Hilare, elle retire tout l'aluminium de mon crâne. Je passe ensuite à la douche. J'y reste juste le temps de rincer toute la coloration et d'essayer d'apaiser mon pubis enflammé. Mais quand je sors, je suis au moins prête à regarder April en face. Je me promets de faire payer cette réponse plus cher que toutes celles que j'ai publiées jusque-là, histoire que ma terrible souffrance n'ait pas été inutile. Mais pas de doute : je garderai quand même longtemps cette histoire en travers de la gorge.

Je m'applique à garder l'air maussade pendant qu'April me sèche les cheveux. Elle m'a tournée vers elle pour m'empêcher de me voir dans le miroir. Elle sourit, apparemment satisfaite de son travail.

— Voilà, chère amie relookée. Arrête de bouder et admire le résultat.

Elle fait pivoter la chaise et j'en reste bouche bée. Je suis… à tomber.

TUTO N°8 :
ÊTRE TOUT SIMPLEMENT RENVERSANTE

Je passe le reste du week-end terrée dans ma chambre, ce qui est bien dommage étant donné ma nouvelle chevelure tout simplement fabuleuse. Mais le lundi suivant n'en est que plus satisfaisant encore.

Je débarque devant chez Drew, une main glissée dans les cheveux pour les ébouriffer un peu, histoire de faire bonne mesure. J'ai dix minutes d'avance, alors je frappe. Quand il m'ouvre, il en reste muet comme une carpe. Il me détaille de la tête aux pieds, puis des pieds à la tête, en s'arrêtant aux endroits les plus stratégiques. En temps normal, je me sentirais complexée, outrée, ou les deux, mais ma tenue et ma coiffure sont si différentes de d'habitude que… je me rengorge.

— Eh ben, ça alors !

Je baisse les yeux, soudain gênée finalement.

— Merci…

Je lisse mon top rouge ajusté sur un jean qui me semble un poil trop serré.

— Donc tu suis tes propres conseils, à ce que je vois.

Je glousse bêtement.

— J'essaie. C'est une question d'éthique. Je te rappelle que je suis censément une experte certifiée !

— Mèches, jean qui met particulièrement en valeur tes « atouts »… (Il fait une plutôt bonne imitation de moi, d'une voix qui part forcément dans les aigus.) Épilation du maillot ? conclut-il avec un sourire malicieux.

Mon visage devient aussitôt plus rouge que mon T-shirt. Il m'arrive d'oublier que Drew lit absolument tout ce que je poste.

— Ne m'en parle pas !

Ce qui lui arrache un sourire.

— J'en ai pour deux minutes, dit-il. Je dois prendre une veste, et sans doute enfiler des chaussures.

— Ça me semble plus sage.

J'entre dans le vestibule, où je m'adosse à la porte, soudain saisie d'une sensation étrange. Comme si… comme si j'étais quelqu'un d'autre. Mais c'est agréable. Et plutôt bon signe, je pense.

Une demoiselle que je n'ai jamais vue remonte le couloir en ajustant d'épaisses lunettes sur l'arête de son nez. Elle doit avoir au minimum dix-neuf ans – le logo universitaire qui orne son sweat confirme mon intuition. Elle se raidit visiblement à ma vue, plisse les yeux d'un air outragé et me scrute de la tête aux pieds. Un peu comme Drew, mais pas tout à fait. Curieuse, je décide d'entamer la conversation :

— Salut !

Elle pousse un soupir exaspéré, serre convulsivement les bretelles de son sac à dos et me bouscule pour sortir.

Deux minutes plus tard, Drew revient, une main dans les cheveux, un sourire penaud sur les lèvres. Je siffle entre mes dents, un brin réprobatrice.

— Un soir d'école ? Petite canaille.

Il hausse les épaules et pousse le battant.

— Son premier cours commence à 10 heures, elle s'en remettra. Et elle sait bien que j'en vaux la peine, ajoute-t-il avec un clin d'œil.

N'importe quoi. Sur le chemin de sa voiture (le froid a décidé de frapper fort, cette semaine), je me rends compte que je suis perplexe. Je me glisse sur le siège du passager en m'efforçant de dissimuler mon trouble.

— Est-ce qu'elle a… elle a dormi chez toi ?

— Bingo.

Il passe les trente secondes suivantes à tenter de démarrer le moteur.

Une vague de jalousie me submerge… mais de quel droit ? C'est complètement stupide, et surtout absolument injuste envers Drew. Je n'ai pas le droit de me montrer possessive : il n'y a rien, rien de rien, entre lui et moi ! Il passe son temps à coucher à droite à gauche ? Et alors ? Pourquoi pas, ça ne regarde que lui… Ce qui me gêne, c'est que cette étudiante (quelle cougar !) ne devrait pas passer la nuit chez lui. Ça, c'est ma seule et unique prérogative.

— Pourquoi ? me demande-t-il après un long silence. Ne me dis pas que tu es jalouse !

Je sais qu'il me taquine, mais je n'arrive pas à le regarder en face. *Tu pètes un plomb, ma vieille !*

Il m'épie du coin de l'œil, et je vois son sourire disparaître. Les sourcils froncés, il se concentre sur la route.

— Je ne lui ai pas demandé de rester, tu sais – tu connais ma politique dans le domaine. Mais… elle s'y attendait tellement. Je ne suis pas bien au fait du protocole qui s'applique avec les étudiantes. (Il déplace ses mains sur le volant et me jette un regard de côté.) En tout cas, c'était super bizarre de me réveiller à côté d'elle.

Je me sens encore plus bête. Et détraquée dans ma tête. Pourquoi est-ce qu'il s'excuse ? Qu'est-ce qu'il a fait, au juste ? Trompé sa non-copine, même pas son sex friend ? Mais là, tout de suite, je n'arrive pas à être, ni même à avoir l'air d'un être humain normal. Je ne parviens qu'à balbutier :

— Non, pas… euh… pas de souci. C'est… hmm… c'est pas comme si…

Très éloquent, on applaudit chaudement la candidate !

— C'était juste un coup d'un soir, insiste-t-il. Elle ne s'est pas retrouvée bombardée ma petite amie du jour au lendemain simplement parce qu'elle a passé la nuit chez moi… Bref, ça ne veut rien dire.

— T'inquiète, aucune importance, dis-je, la gorge nouée. Même si c'était ta copine, qu'est-ce que ça me ferait ? Tu sors avec qui tu veux.

Je fais des efforts désespérés pour empêcher la jalousie de percer dans ma voix. Drew secoue imperceptiblement la tête, les dents serrées, les yeux rivés sur la route. Qu'est-ce que j'étais censée dire ? *Ne sors qu'avec moi, même si tu ne peux pas sortir avec moi ?* Il ne peut tout de même pas être fâché pour cette raison.

Vu le fiasco que représente cette fort sympathique conversation, j'aurais préféré aller au lycée en courant, finalement. Je commence à regretter les fortes chaleurs des derniers mois. Pendant les quelques minutes de trajet qu'il nous reste, l'ambiance devient de plus en plus glauque dans la voiture. La tête appuyée contre la vitre, je me demande à quel moment tout est devenu si compliqué entre Drew et moi…Depuis quand on ne peut plus du tout aborder certains sujets… Quand exactement il est devenu le miroir du sentiment d'abandon créé chez moi par le départ de ma mère… À quel moment je me suis autorisée à croire que j'avais le droit d'être jalouse – mais attention, roulement de tambour, le diable se cache dans les détails – non pas lorsqu'il couche avec une autre fille, mais parce qu'il ne l'a pas chassée de son pieu avec perte et fracas dans les cinq minutes qui suivent la fin du coït… Depuis quand, dans mon inconscient de grande malade, son lit est aussi devenu le mien.

Le silence est tellement pesant que nous le ressentons tous les deux jusqu'à la moelle des os. Drew finit par s'éclaircir la voix en me jetant un regard furtif.

— Au fait… Tu as jeté un œil à tes statistiques de fréquentation, dernièrement ?

La question rituelle. Un changement de sujet déstabilisant, certes, mais plus que bienvenu. Le soulagement se lit sur son visage dès que je saisis la perche qu'il me tend.

— Bien sûr !

— Tu es en train de devenir assez populaire, j'ai l'impression, vu le nombre de questions qu'on te soumet ? J'ai entendu des élèves parler de toi dans les couloirs. Ils trouvent que pour une simple lycéenne, du coin qui plus est, tu te défends bien. Tout le monde essaie de deviner qui tu es.

J'ai le sourire jusqu'aux oreilles.

— C'est vrai ? On parle de moi ? Ça ne fait pas si longtemps, pourtant !

— Oui, de temps en temps. Alors, ça donne quelque chose, financièrement ?

— Je ne sais pas trop… En fait je n'ai pas vérifié depuis plus d'une semaine.

Il fronce les sourcils. J'imagine que c'est un peu étrange, en effet, sachant que c'est avant tout afin de récolter assez d'argent pour partir à New York que j'ai lancé le projet. Enfin bon…

La voiture s'arrête sur le parking dans un grincement de freins mal réglés et un nouveau silence, encore plus gênant, s'abat sur nous. Soulagée que le trajet s'achève enfin, je sors en claquant la portière pour filer sans demander mon reste vers l'entrée du lycée.

— Au fait, Renley, je… je rentrerai tard, j'ai un truc à faire ce soir. Tu peux trouver quelqu'un d'autre pour te ramener ?

Mensonge, bien sûr. Mais comment lui en vouloir ? Je n'ai pas non plus très envie de supporter un autre voyage en sa compagnie.

— O.K., pas de problème.

April débarque et m'attrape par le bras avant que je puisse ajouter quoi que ce soit.

— Vous, jeune fille ! Vous êtes tellement sexy que, l'espace d'un instant, j'ai cru que j'étais bi !

Secouée d'un petit rire, je jette un dernier coup d'œil à Drew avec l'impression que cette dispute sans fondement (Dieu seul sait ce qui vient vraiment de se passer) devrait être derrière nous, à présent. Il se contente d'un vague salut de la tête, sans grande conviction. Et puis nous partons chacun de son côté.

J'ignore si les regards qui me dévisagent sont le fruit de mon imagination, mais pas de doute : c'est bien moi qui imagine la musique de fond et le vent dans mes cheveux qui accompagnent ma lente progression (je me vois avancer au ralenti, aussi) dans les couloirs bondés du lycée. Déhanché, déhanché et nouveau déhanché. Prends ça dans ta face, mon pauvre Drew.

Seth me fait un petit signe amical quand j'entre dans l'atelier cuisine, que je lui rends accompagné d'un large sourire. Oubliée, la fille horriblement maladroite qui renverse des garçons à grands coups de fesses. Quand je m'assieds à côté de lui, il est penché sur un papier froissé, sur lequel il a tellement usé sa gomme qu'elle est prête à rendre l'âme. Il mâchonne son crayon, les sourcils tellement froncés que les rides d'expression résultantes ne s'effaceront plus jamais, c'est sûr.

C'est curieux de le voir dans cet état.

— Tout va bien ?

Pour toute réponse, il grogne.

— Besoin d'aide ?

Il jette son crayon sur la table, se frotte le visage puis me regarde avec des yeux de chiot à tomber à la renverse, plus adorables que des vrais. Je vais fondre.

— La trigo, c'est le diable. Jamais je n'aurais cru nourrir un jour une telle animosité envers une simple forme géométrique.

Je roule des yeux excédés, comme si j'étais bien d'accord, alors que rien n'est moins vrai. Les mystères des angles et des triangles, j'ai toujours trouvé ça simple comme bonjour. Mais bon, je ne suis plus à un mensonge près.

— Je vais me faire recaler, ça crève les yeux. Je vais me planter, flinguer ma moyenne générale et tuer dans l'œuf toute chance d'obtenir une bourse…

Dans un grognement écœuré, sa tête tombe en avant, va s'écraser violemment sur la table et y reste posée, inerte. Avec un soupir, j'attrape le papier coincé sous sa joue. Je repère son erreur en cinq secondes.

— O.K., je vois. Il suffit de…

La sonnerie retentit et M. Cole se racle bruyamment la gorge en s'asseyant à son bureau. Seth me jette un regard pensif avant de sortir une nouvelle feuille de son sac. Il griffonne quelques mots dessus, puis me la passe.

J'ai du mal à le lire – l'écriture des garçons est un monde en soi, totalement différent du nôtre.

Au bout de longues secondes, je finis par déchiffrer :

Tu donnes des cours ?

Non. Mais à Seth, volontiers.

Oui.

Ma réponse lui arrache un sourire.

Combien ?

Je te les échange contre des leçons de cuisine.

Il s'esclaffe et tend le bras pour me serrer la main. Très officiel, tout ça. Le contact de sa peau me donne la chair de poule, mais je fais comme si de rien n'était. *Il a une copine, Renley, ne l'oublie pas.*

J'enchaîne aussitôt :

Ce soir après les cours ?

Il acquiesce avant de ranger le mot plié en quatre dans la poche arrière de son jean. Ensuite, on fait tous les deux semblant d'écouter M. Cole.

Trajet retour déniché sans le moindre mal.

TUTO N°9 : OBTENIR UN NON-RENDEZ-VOUS AVEC LE TYPE LE PLUS MIGNON DU LYCÉE

À la fin du cours de cuisine, Seth sort avec moi dans le couloir.

— Tu as une voiture ? me demande-t-il.

Le regard faussement grave, je réponds :

— Je suis en seconde. J'ai mon permis, mais pas de caisse.

— Ah, c'est dur d'être jeune !

Il joue avec les clés de son propre véhicule, un petit rictus moqueur aux lèvres.

— Hélas, nous, les sans-grade, on est vraiment à plaindre, dis-je. C'est bien pour ça qu'on tolère votre présence, saletés de terminales.

Je croise les bras d'un air de défi, nonchalamment appuyée contre le mur.

— Pour nos voitures, rien d'autre ? s'étonne-t-il, faussement vexé. Ça ne peut pas être l'unique raison !

Il a toujours ce même demi-sourire moqueur quand il se penche vers moi, une main posée contre la paroi à quelques centimètres à peine de mon épaule. Mon cœur s'emballe. Une minute… Il est en train de flirter ? Ça y ressemble furieusement… Mais non, impossible.

Prise de court, j'oublie complètement le sujet de notre conversation. Seth voit mon regard troublé-mais-ravi, cligne des yeux, les pose sur son propre biceps et semble s'apercevoir avec un temps de retard de ce que sa position a d'ambigu. Il se redresse, jette un coup d'œil autour de lui et s'éclaircit la gorge.

— Bon, bref… Donc je t'emmène jusqu'à chez moi ?

Il évite mon regard, ce qui confirme (c'est inouï !) qu'il me faisait bien du rentre-dedans.

— O.K. Je te retrouve devant le lycée tout à l'heure ? Tu conduis quoi, au fait ?

— Une Lexus noire.

Je hausse un sourcil, plutôt impressionnée.

— C'est la lose, je sais. Mais c'est un cadeau de mon père et… enfin bref, j'ai deux-trois trucs à faire avant, mais on se rejoint sur le parking dans dix minutes, explique-t-il. Ça te va ?

— Parfait.

Par-dessus son épaule, je vois sa copine se diriger vers nous. Elle ralentit, me sourit de toutes ses dents, et je me sens atrocement coupable, comme si discuter cours de soutien était vraiment la pire des fautes. Taylor est l'une de ces élèves qui ont la cote pour une bonne raison : impossible de la détester, elle est éminemment sympa.

— Salut, fait-elle, radieuse.

Seth lui passe un bras autour de la taille.

— Salut ! Je te présente…

— Renley. Je sais. Jolis, tes cheveux.

— Merci, parviens-je à articuler.

Comment se fait-il que la grande, l'immense Taylor Krissick – l'une des reines de notre petit monde – soit au courant de mon existence ?

Elle me fait le petit salut de Miss Amérique qui est sa marque de fabrique avant de s'éloigner, entraînant Seth dans son sillage tout le long du couloir. Je ne vois pas trop comment c'est possible, puisque c'est lui qui la tient par la taille, mais c'est clairement elle qui mène la danse. À la seconde où ils prennent le premier tournant, l'expression pimpante de Taylor tourne à l'orage et Seth se raidit, le visage tourné de l'autre côté. Intéressant...

Dès qu'ils ont quitté mon champ de vision, je raconte tout par SMS à April. Elle ne me répond que par un smiley clin d'œil. C'est elle tout craché, ça !

Je fends la foule des élèves jusqu'à la cour, avant de me séparer de la meute pour aller m'asseoir contre les briques rouges du bâtiment principal pour respirer l'odeur de l'herbe à l'arrivée de l'automne. Un écouteur dans l'oreille, j'écoute distraitement la soupe pop que j'adore en secret en observant ce qui m'entoure. Je n'ai rien d'autre à faire durant les dix – ou plutôt huit – prochaines minutes.

De l'autre côté de la rue, je vois Drew arpenter le trottoir, les mains dans les poches, l'air triste. Ou énervé, avec lui on ne sait jamais. Et, comme je m'en doute depuis le matin, il s'engage dans le parking pour se diriger droit vers sa voiture garée à l'autre bout. *« Un truc à faire ce soir* », hein ? Sale menteur. Mes yeux lancent des éclairs, j'espère presque qu'il va se retourner et m'apercevoir. Et bien sûr, c'est ce qu'il fait. Et là, renversement de situation : c'est moi qui me retrouve extrêmement gênée qu'il tombe sur moi en train de l'observer, comme si l'un de nous deux était un criminel. (Oui, mais lequel… c'est toute la question.)

Il me fixe en se mordillant la lèvre inférieure, finit par secouer la tête d'un air exaspéré et déverrouiller sa caisse sans plus attendre.

Irritée au plus haut point, je tourne délibérément la tête. J'attends un chauffeur beaucoup plus mignon, au volant d'une voiture nettement moins pourrie. Au bout d'un moment, Seth passe la porte du lycée, le bras toujours collé à la taille de Little Miss Sunshine. Je ne me lève pas quand il s'avance vers sa Lexus. Taylor s'écarte un peu pour se dégager, elle semble… fâchée. Elle fait de grands gestes, mais très contrôlés, comme quelqu'un qui se disputerait en public en chuchotant. Seth ne réagit absolument pas. Il reste là, bras croisés, appuyé contre sa bagnole, sans rien dire. Elle finit par lever les bras au ciel d'un air impuissant, rester tête baissée quelques instants et, en fin de compte, se mettre sur la pointe des pieds pour l'embrasser. Il tourne la tête – les lèvres de Taylor n'effleurent que sa mâchoire. Furieuse, elle s'éloigne à grands pas sur ses talons hauts. Autant de force exercée sur une si petite surface… ce doit être une telle souffrance !

Quand Seth démarre le moteur, la voiture ne hurle pas à la mort comme celle de Drew – un changement plus que bienvenu. Je me lève et m'approche du véhicule d'un pas tranquille, sac à l'épaule. Il se penche pour m'ouvrir la portière. Je monte, jette mon sac à l'arrière et me concentre sur le bouclage de ma ceinture.

— Tu écoutes quoi ? me demande-t-il.

— Oh. Rien, un truc débile, dis-je embarrassée par mes choix musicaux à des années-lumière de la sphère hipster.

— Pas de pression. Bourre-toi les oreilles de pop-rap-dance-house tant que tu veux !

Avec un sourire, je retire mon écouteur et scrute l'intérieur de la voiture. C'est propre, presque trop pour être vrai. Et ça sent la fraise. Je parie qu'il y a un désodorisant au parfum ultra-féminin planqué quelque part.

— Qu'est-ce que tu cherches ?

— Je cherche d'où sort cette odeur bon marché. Dis-moi, tu traînes souvent chez Sephora ? Attends, ça doit venir de quelque part par là.

J'ouvre la boîte à gants avant de m'apercevoir que je viole littéralement son intimité.

— Donc, toi, tu fouilles ma voiture sous mes yeux, tranquille ?

Je sais qu'en ce moment même, mon visage est cramoisi – je déteste ça, chez moi. Un truc un peu embarrassant et bim ! je vire au rouge vif. Et je transpire des litres, aussi.

Il se met à rire, ce qui doit me faire passer du rouge cerise au rose bonbon. Le changement de nuance est proportionnel à la chaleur que je sens dans mes joues.

— On ne s'ennuie pas, avec toi, sourit-il.

— Je te l'accorde.

— Le parfum sucré, c'est Taylor. Je crois que ça s'appelle Paradis praliné. Taylor, c'est… ma copine.

Sans rire. Merci pour l'info, je n'aurais jamais deviné !

— Oui, j'avais cru comprendre.

D'instinct, je croise les bras. J'ai le plus grand mal à ne pas paraître jalouse. Il tourne la tête vers moi, me contemple un instant avant de se concentrer de nouveau sur la route, un minuscule sourire collé au coin de la bouche. Il a remarqué.

— Ça fait six mois qu'on est ensemble. Enfin, cette fois-ci.

— Ah…

Que répondre d'autre à ça ?

— Et toi, tu sors avec… Drew, c'est ça ?

— Quoi ? Tu plaisantes ?

— Je croyais que vous étiez un vieux couple.

Je ne parviens pas à retenir un petit rire exaspéré.

— Eh bien non ! On n'est jamais sortis ensemble, figure-toi ! Avec toutes les filles qui défilent chez lui… Il passe son temps à s'envoyer en l'air. Alors, non merci.

— Eh bah c'était… direct. Donc pas de relation avec Drew.

— Non.

Nouveau sourire. J'en ai des frissons. Vraiment débile de ma part : il vient tout de même de dire qu'il est avec Taylor depuis la moitié d'une année, rien que ça ! Même s'il semble y avoir de l'orage dans l'air, je n'ai aucune raison de m'emballer, loin de là. Ils ont cassé et se sont remis ensemble un millier de fois depuis le collège, c'est de notoriété publique. C'est le couple-star de leur année, et, selon la tradition, ce couple-là reste ensemble après l'obtention du diplôme, et puis il se marie et fait des bébés beaux comme des acteurs de cinéma.

— Et Taylor et toi. Vous…

Il se recroqueville un peu sur lui-même, inquiet de ma question, et je m'interromps.

— D'accord, je n'ai rien dit.

— Non, ça va. C'est juste que ces derniers temps, on… qu'est-ce que je raconte ? Tu t'en fiches de mes problèmes de couple. On se connaît à peine.

Aïe. En même temps, il n'a pas tort. Je regarde par la fenêtre, un peu blasée. Des cours de soutien, un trajet en voiture par-ci par-là, c'est tout ce qui nous lie. Le nom de Taylor se dresse entre nous depuis qu'il l'a prononcé. Mais, au moins, je ne suis pas la seule à qui Miss Amérique fasse l'effet d'une douche froide. Ce n'est pas très charitable de me réjouir du malheur de Seth, mais… C'est la vérité.

Il prend à droite, et je me redresse : nous nous trouvons dans un quartier où je n'ai jamais mis les pieds et qui m'a toujours fait envie. Pas de magnifiques villas, il ne faut pas exagérer, mais de très belles demeures tout de même. Plus impressionnantes que toutes celles que je connais.

Il s'arrête devant l'une d'elles, façade en stuc, allée pavée et pelouse parfaitement entretenue. Je ne me sens pas du tout à ma place. Je me recoiffe, je tapote ma chemise, comme si j'avais besoin d'un coup de fer à repasser pour cadrer avec ce tableau.

Je suis Seth, qui ne paraît pas remarquer mon malaise, jusqu'à l'entrée de la maison. Petit détail sympa : il me tient la porte. J'essaie de ne pas ouvrir de trop grands yeux quand je découvre le hall.

Un petit truc argenté est accroché de biais sur le chambranle. Je l'examine, perplexe.

— C'est une mezouzah, m'explique-t-il, pas une sonnette mal fixée.

— Ah ! Oui, bien sûr.

Pas une sonnette fantaisie pour personne de très grande taille. *Réfléchis un peu, ma vieille !*

— Un instant, me dit-il une fois au pied de l'escalier, je préviens mes parents que tu es là.

Il disparaît dans le couloir et j'en profite pour sortir mon téléphone.

April, je suis dans le salon de Seth Levine.

Oooooh. Tu as déjà vu sa CHAMBRE ? ;) ;) ;)

Mais tu ne penses qu'à ça, ma parole !

Oh ça va, c'est pas moi qui suis dans la chambre de Seth Levine !

Exaspérée, je rétorque : NI MOI !

Elle m'envoie toute une série de clins d'œil et deux ou trois emojis obscènes qui n'auraient jamais dû être inventés, mais je dois ranger mon portable en vitesse car Seth revient.

— Tu veux boire quelque chose ?

— Tu aurais du Dr. Pepper ?

Il en sort deux du réfrigérateur et fait mine de vouloir me lancer le mien. Très drôle. En plus, il risque de le regretter : par réflexe, j'esquive tout objet lourd expédié dans ma direction.

— Je déconne, fait-il. (Il s'assied à la table.) J'évite de lancer des canettes de soda sur les filles qui viennent chez moi.

D'où vient ce petit frisson qui me secoue l'échine ? Je suis une fille, je suis chez lui, point. Je crois que c'est son usage du mot « fille » par opposition à « prof particulier » par exemple, qui m'ébranle. Le fait qu'il me voie comme une fille. Ce qui – quel cercle vicieux ! – est bien le cas… Donc où est le problème ?

Je m'installe à côté de lui et, pour me donner une contenance, j'ouvre la canette dont je déguste une gorgée. Je me concentre sur son goût sucré, presque brûlant – j'adore ! Seth boit à son tour et me regarde, dans l'expectative.

— Alors… tu as ton manuel de trigo ? dis-je.

Il paraît sortir d'un rêve.

— Ah oui… Les cours de maths. Bien sûr ! Attends.

Il se précipite dehors, sûrement pour récupérer son sac, qu'il a laissé dans la voiture. Est-ce qu'il aurait vraiment oublié la raison de ma présence chez lui ?

Il revient, un peu penaud, et pose devant moi son énorme manuel, son cahier et le fameux devoir, désormais à la limite de tomber en lambeaux.

— Il faut que je te prévienne : je suis vraiment nul à ce truc. Nullissime.

Je ne réfléchis pas avant de répondre :

— Ce n'est que justice… Il y a une règle qui interdit d'être un génie des maths en plus d'être un beau gosse et un cuisinier hors pair. Trop injuste pour les autres.

Il m'adresse un grand sourire, un éclair de malice dans les yeux, mais baisse aussitôt le regard en tripotant nerveusement la chaîne qu'il porte autour du cou. J'ai l'intuition irrépressible que ce bijou lui vient de Taylor. Décidément, pour tout ce qui regarde Seth, je manque sacrément de bon sens ! Mais il garde le sourire d'un bout à l'autre de la séance, même quand on se penche ensemble sur le grand sujet qu'il exècre : les maths.

C'est forcément bon signe, non ?

NOVEMBRE

TUTO N°10 : CONTEMPLER LES ÉTOILES AVEC UN GARÇON

Depuis quelques jours, je préfère courir le matin pour me rendre au bahut. C'est bête parce qu'il commence vraiment à faire froid – et puis je sais très bien que si je me pointais chez Drew, il m'emmènerait. Je pourrais aussi prendre le bus, mais franchement, j'habite tout près du lycée, assez près pour avoir à peine le temps de transpirer, et je préfère encore courir dans le froid que de prendre les transports en commun.

Mais au bout de quatre jours de ce petit manège, je commence à en avoir marre et je ne me rappelle même plus très bien pourquoi on s'est disputés. Une histoire d'étudiante, bref n'importe quoi.

Par la fenêtre, je constate qu'il n'y a pas de lumière dans la chambre de Drew. Il est 22 heures passées, donc soit il dort, soit il est avec quelqu'un, soit il ne fait rien. Je décide de tenter le coup. Je vérifie d'abord une dernière fois sur mon téléphone que je n'ai pas manqué un message de sa part. Non, aucun SMS. Ça m'agace, alors je lui envoie un texto moins sympa que prévu.

Il faut que je te parle.

Il ne répond pas tout de suite, mais j'enfile quand même un pull fin et je me brosse les cheveux. Mon smartphone vibre.

Viens.

Je descends sur la pointe des pieds, en chaussettes, mais soudain je me pétrifie à l'écoute de mon nom :

— Leelee ?

— Oui ?

Assis en peignoir à la table de la cuisine, mon père mange un bol de céréales. Il réajuste ses lunettes sur le bout de son nez, me dévisage longuement, puis regarde la pendule.

— Où vas-tu ?

— Chez Drew, dis-je d'un air dégagé.

Les yeux baissés sur le récipient, il se gratte la tête d'un geste maladroit.

— Il est 22 h 30, ma puce, fait-il d'une voix plus douce.

Je lance un petit coup d'œil à l'horloge pour faire bonne mesure.

— Ouaip.

— Tu crois… tu crois que c'est une bonne idée de te rendre aussi tard chez un garçon, surtout chez un garçon comme lui ?

— Oh, arrête un peu, Papa ! Je le fais quasiment tous les soirs, et c'est maintenant que tu y trouves à redire ?

Il se tortille un peu sur sa chaise, lève les yeux vers moi, joue avec sa cuillère.

— Ça ne me plaît pas beaucoup, Leelee. Je ne veux pas t'interdire d'y aller, mais...

— Bon, bah c'est réglé, alors ! À plus.

Je me dirige vers la porte sans attendre mon reste. Il claque le manche de sa cuillère sur la table si fort que le lait gicle de son bol.

— Tu pourrais avoir la décence de sortir en douce quand tu vas te taper n'importe qui, au moins !

Je le regarde, éberluée. Jamais je n'ai entendu mon père parler de cette manière, sur un ton pareil. Mais mon étonnement s'évanouit aussi vite qu'il est arrivé, et je me surprends à articuler posément, à voix basse :

— Tel père telle fille, Papa.

Il en lâche son couvert, bouche bée. Comme il reste immobile de longues secondes sans ciller, j'ouvre et referme doucement la porte derrière moi. Il ne me suit pas. Rien d'étonnant à ça. Une fois dehors dans la nuit froide, j'essuie les quelques larmes qui me brûlent le coin des paupières.

Drew m'attend sous le porche devant sa maison, et je suis contente qu'il fasse noir. Pleurer devant lui ne me dérange pas, mais je n'ai aucune envie de parler de ce qui vient de se passer. Jamais. À personne. Je préfère encore parler de Drew et de ce que je lui reproche, c'est plus facile.

Il se lève à mon approche et fait mine de vouloir me serrer contre lui – encore une chose dont je n'ai pas envie maintenant. Je m'arrête juste hors de sa portée, et ses bras retombent.

— Tes clés ?

— Quoi, mes clés ? fait-il, de toute évidence agacé.

— Tes clés de voiture, tu les as ?

— Oui. Tu en as besoin ?

— Je veux aller faire un tour.

— Par ce froid ?

— Oh, ça va ! dis-je quand il me les lance. Allez viens, mauviette.

Il hésite sur le perron un instant, avant de me suivre avec un grand soupir.

Je m'installe au volant tandis qu'il se glisse lentement sur le siège passager. Une fois sa ceinture attachée, je démarre (ou plus exactement, je tente de démarrer) le moteur. Il me faut plusieurs essais.

— Il faut que tu appuies sur le...

— Je sais. J'ai déjà conduit une boîte manuelle.

Il se cale dans son siège, les yeux rivés sur le pare-brise. Je me demande bien pourquoi je suis énervée à ce point. À l'origine, la raison de ma présence ici ce soir, c'est que Drew me manque !

Quand je parviens enfin à faire démarrer sa fichue poubelle et qu'on s'engage tant bien que mal sur la route, il tourne la tête vers moi.

— Et donc... tu as repris contact uniquement pour pouvoir me hurler dessus toute la soirée ? Si la réponse est oui, je préférerais rentrer, si ça ne te dérange pas.

Je ne réplique rien. Je ne sais même pas quoi dire.

— Bon… Déjà, où est-ce qu'on va, là ?

— À ton avis ?

Il éclate d'un rire sans joie.

— Super. Seul dans les bois au milieu de la nuit avec une fille folle de rage. Dis-moi qu'on ne va pas retrouver mon corps demain matin !

Ses élucubrations m'arrachent un sourire, un vrai. Je réponds :

— Pas la peine d'en faire un drame ! C'est à la lisière de la forêt, je te signale.

La radio de Drew ne fonctionne pas et aucun de nous deux n'a envie de discuter, alors le reste du trajet se déroule en silence. Heureusement, notre destination ne se trouve qu'à quelques minutes de la ville.

Quand la voiture s'arrête en toussotant, nous restons là quelques minutes sans rien dire. Nous ne nous sommes jamais vraiment disputés – sur rien –, c'est donc une sensation très étrange. Comme si une sorte de menace indistincte pesait sur nous. J'ai l'impression que si nous mettons le pied dehors, si nous commençons à en parler, toute notre relation va changer. Se briser.

Lorsque le silence devient trop palpable à son goût, Drew allume les phares pour nous permettre d'y voir quelque chose, et sort du véhicule. Je n'ai d'autre choix que de le suivre.

— Ça caille !

Je resserre les bras autour de moi. J'aurais dû prendre un pull plus épais.

— Qu'est-ce que je t'avais dit ? rétorque-t-il.

Il se met à fouiller sur les sièges arrière. Il n'a pas à chercher très longtemps : il ne met jamais grand-chose sur la banquette afin qu'elle soit toujours utilisable, pour des raisons évidentes.

Il sort une couverture qu'il me tend.

— Tu ne vas pas me proposer ta veste ? dis-je pour le taquiner.

— Je ne vois pas pourquoi je crèverais de froid juste parce que tu n'as pas pensé à emporter un manteau !

Il me rend la monnaie de ma pièce avec un sourire et, aussitôt, je me détends. Tout me semble soudain plus normal.

— Donc, à la place, tu préfères me donner une couverture ? C'est une tentative évidente de séduction, jeune homme.

— Évidente.

Il grimpe sur le capot de sa voiture avant de m'aider à le rejoindre. La tôle oscille sous nos poids conjugués. Mais elle était déjà dans un état déplorable et elle est tellement cabossée, à force, que Drew n'en a plus rien à faire.

Autour de mes épaules, la couverture est douce et sent le propre – un vrai soulagement.

— Eh, dis-je avec un petit rire dans la voix, tu te rappelles quand on était petits, le jour où on a essayé de traverser le ruisseau au fond du jardin ?

Il s'esclaffe à son tour.

— Sur le petit rondin ? On avait, quoi, cinq et six ans ? Tu t'en souviens encore ?

— Ma mère a flippé et elle a essayé de nous aider à rejoindre l'autre rive. Tu t'es mis en colère, et on a tous fini par se vautrer dans les ronces, sur la berge.

— Tu t'étais retrouvée à l'hôpital, non ?

— Six points de suture, dis-je en remontant ma jambe de pantalon. J'ai toujours la cicatrice.

Du pouce, il caresse la fine ligne blanche sur mon mollet.

— Quand est-ce que tout a changé ? murmuré-je.

Il ne répond rien.

Il inspire profondément et souffle un petit nuage de fumée dans l'air froid. L'un comme l'autre, on se tait quelques instants encore, histoire de gagner du temps. On contemple la ville qui s'étale sous nos yeux. D'ici, on la voit tout entière. Ses lumières scintillent comme de petites étoiles tombées du ciel. Derrière nous, la forêt, devant nous, un paysage de rues constellées de lampadaires et de bâtiments à peine éclairés. C'est un lieu parfait, loin du lycée, de la maison, de mon père… l'endroit idéal.

Soudain, je me demande combien de filles Drew a pu dépuceler ici. Je reviens à la réalité.

— Combien…

Je m'interromps, gagnée par une sensation étrange.

— Combien quoi ?

— Combien d'autres filles as-tu amenées ici ? À part moi ?

— Maintenant que tu le dis, c'est vrai que ce serait parfait pour ça. La vue est magnifique.

Il plaisante, ce qui n'est ni plus ni moins que ce qu'il ferait en temps normal, mais je ne suis pas d'humeur. Il le sent tout de suite – l'étincelle qui s'est allumée au fond de son regard s'éteint sur-le-champ.

— Aucune. Toi et personne d'autre. C'est notre petit coin rien qu'à nous.

Je me sens tout de suite mieux, et puis aussitôt coupable du soulagement que sa déclaration m'a procuré.

Il s'allonge sur le capot, un bras tendu pour m'inviter à venir poser la tête au creux de son épaule. Calée tout contre lui, je sens son pouls accélérer. Nous n'avons plus cinq et six ans. Nos problèmes ont bien changé : autrefois, les massifs de ronces au bord du ruisseau dans le jardin, aujourd'hui... Je le sens hésiter, malade à la perspective de ce qu'il doit me dire.

— Allez, crache le morceau, Drew.

Deux ou trois profondes inspirations, puis :

— C'est... C'est hyper injuste de ta part.

J'ai tout à coup très chaud.

— Quoi donc ?

— Tu sais très bien que si je le pouvais, je serais avec toi. Sans hésiter, dans la seconde. Tu n'aurais qu'un mot à dire. Mais, toi, tu n'en as pas envie, tu as été très claire. Et... Ce n'est pas un problème, c'est ton droit le plus absolu. Je ne te demanderai même pas d'arrêter de me faire marcher ou quoi : je te connais par cœur, je sais parfaitement que quand tu dors chez moi et que tu poses la tête sur ma poitrine, tu n'es pas du tout en train de me faire une déclaration.

Il se décale légèrement. Son bras, sous ma joue, est tendu à craquer. Dans le silence qui suit, j'entends mon pouls accélérer en même temps que le sien. Ses doigts se resserrent nerveusement autour de mon épaule.

— Mais que tu t'énerves quand tu croises les nanas avec qui je sors, ça, ça dépasse les bornes.

Je reste étendue sans bouger. Mon visage, déjà rouge pivoine, vire à l'incendie.

— Je sais bien, tu as raison. Écoute… Je ne dis pas le contraire. Le pire c'est que… je ne comprends même pas ce qui m'a pris. Mais moi aussi, Drew, je t'en veux, et pour une tout autre raison, si tu veux savoir. Que tu me mentes un soir parce que tu n'as pas envie de rentrer en voiture avec moi, je veux bien… Je peux comprendre. Mais tu ne m'as pas parlé depuis quatre jours. Rien, pas même un message.

Il me regarde, les yeux plissés, puis se tourne vers le ciel étincelant. Il ne me permettra pas longtemps de changer de sujet mais, pour l'instant, il me laisse faire à ma guise.

— C'est vrai. J'ai vu rouge, j'ai agi comme un con. Le silence radio, ce n'était pas la peine.

— On est d'accord.

Je tremble de partout. Il caresse mon bras du bout des doigts – sûrement pour me rassurer, alors qu'il est lui-même en colère. Il sait bien que je déteste les confrontations plus que tout… surtout quand il est clair, comme ce soir, que c'est moi qui ai presque tous les torts.

— Mais… Renley, reconnais que mon téléphone n'a pas non plus beaucoup sonné cette semaine, reprend-il, le visage grave.

Bien vu. Son argument fait mouche.

— Et… Ne crois pas que tu vas t'en tirer comme ça, ajoute-t-il. J'ai la rage, tu sais.

— À ce point-là ?

Je roule sur le côté pour m'écarter quand il s'appuie sur un coude pour me regarder.

— Oui. Ce n'est pas à toi de décider avec qui je peux sortir, ou passer la nuit… ou faire quoi que ce soit, d'ailleurs. On n'est pas ensemble, toi et moi. Tu ne peux pas me demander de m'inquiéter de ta réaction à chaque fois que j'invite une fille chez moi, tout ça parce que toi-même tu n'arrives pas à décider de ce que tu ressens.

— Parce que toi tu sais ce que je ressens, peut-être ?

— Bah oui, je sais.

Je place mes deux bras derrière ma tête dans une position que j'espère parfaitement détendue. J'ai désespérément besoin de paraître plus sûre de moi que je ne le suis, comme si je savais ce qui était en train de se passer entre nous, comme si j'étais tout à fait certaine que cette conversation allait bien tourner. Dans le mouvement, mon T-shirt se soulève un tout petit peu et Drew tire dessus pour le redescendre, mais ses doigts s'attardent, vont et viennent sur ma peau au-dessus de ma hanche.

— Je t'en prie, éclaire ma lanterne !

— Au fond de toi, tu as envie d'être avec moi.

Je soupire, impatientée.

— Non… sérieusement, Drew.

— Je suis très sérieux. Tu en as envie, au moins un petit peu. Mais tes problèmes avec ton père t'empêchent de te laisser aller à considérer cette idée, donc tu préfères garder tes distances. Résultat des courses : tu n'arrives pas à comprendre pourquoi tu ne supportes pas qu'une fille passe la nuit chez moi.

— N'importe quoi, espèce de narcissique…

Son pouce cesse de bouger et s'immobilise sur ma hanche. Il se contente de me regarder. J'ai le cœur qui bat plus vite et plus fort que jamais. De l'autre main, il écarte une mèche de cheveux de mon visage pour la coincer derrière mon oreille. J'ai toujours rêvé qu'un garçon me fasse ça. Chaque millimètre de peau que ses doigts effleurent se met à vibrer.

Il se penche vers moi, approche son visage jusqu'à ce que je puisse sentir la chaleur du sien contre ma joue, voir luire ses lèvres humides. Je devrais vouloir l'interrompre. Je ne l'aime pas, je le sais. Pas de cette façon. Mais à cet instant précis, mettre fin à notre tête-à-tête est la dernière chose que je désire.

Il plonge son regard dans le mien et murmure, sa bouche tellement près que je sens ses mots effleurer mes lèvres :

— Tu meurs d'envie que je t'embrasse.

La gorge nouée, je détourne les yeux. Si je continue à le regarder, et qu'il ne m'embrasse pas, je crois que je vais mourir.

— Ne t'en fais pas, dit-il en jouant avec mes cheveux. Ne t'en fais pas pour moi. Je ne t'embrasserai pas. Pas avant que tu me le demandes.

« Pas avant que tu me le demandes », et non « sauf si tu me le demandes ». La formulation qu'il a choisie me frappe tout de suite, bien sûr, et pourtant, sur le moment, je ne trouve rien à y redire. Les mots ne me viennent pas. Je suis tout essoufflée, j'ai les oreilles qui bourdonnent. Il s'écarte de moi pour me laisser respirer. Je passe plusieurs minutes à tenter de calmer mon cœur affolé, avant de parvenir, enfin, à le regarder en face.

— Drew, je suis désolée. De m'être montrée jalouse. Et pour… Et pour tout le reste.

Il glisse un bras rassurant autour de mes épaules.

— C'est rien… C'est juste… compliqué entre nous maintenant, et il faut bien que j'apprenne à faire avec.

— Ce n'était pas comme ça, avant.

— Oui, mais bon… Vous n'aviez pas de poitrine, avant, jeune fille.

— Drew !

Je lui assène un grand coup sur le torse. Il éclate de rire, une main posée sur ses côtes martyrisées.

— Attends, laisse-moi deviner, tu comptes en faire un tuto dès demain ? « Révélations exclusives de *Sweet Life* : Comment mettre un bon crochet du droit à un garçon ? »

Je secoue la tête, faussement consternée, avant de me rallonger à côté de lui sous les étoiles. Mais je me sens plus perdue que jamais. Nous les contemplons ensemble tranquillement avant de repartir. Je dors chez Drew. Parce que j'ai besoin de le sentir contre moi. Parce que… eh bien pourquoi pas ?

TUTO N°11 :
CUISINER DES CHAMPIGNONS FARCIS

Le lendemain matin, je sors de chez Drew sur la pointe des pieds et j'escalade la fenêtre de ma propre chambre. Mon père sait très bien où j'étais, mais après sa remarque de la veille, je ne suis pas très à l'aise avec l'idée de jouer les effrontées. Je ne veux pas remuer le couteau dans la plaie – ce n'est pas comme si j'essayais délibérément de l'énerver. Enfin pas vraiment. Du moins pas tout le temps.

Donc va pour une entrée discrète et pas en fanfare. Quelques minutes après avoir rejoint mon lit, je reçois un SMS. Il est de Seth. Même dans mon état de semi-conscience groggy, j'ai le bon goût de sautiller de joie : Seth Levine a mon numéro, nom d'un chien !

Avant d'ouvrir le message, je prends le temps d'imaginer qu'il me propose une soirée romantique, une promenade sur la plage au clair de lune. Il veut un autre cours de soutien, je m'en doute, mais j'ai le droit de rêver. Je parie qu'il a encore raté un contrôle.

Tu veux passer ce soir ?

Je regarde l'écran. Ce message pourrait avoir une centaine de sens différents, il veut dire tout et n'importe quoi. Tu veux passer ce soir et parler trigo ? Tu veux passer ce soir pour conclure sur le canapé ? Tu veux passer ce soir cuisiner des cookies, on se fera des tresses en chantant des hymnes scout ? Mon téléphone vibre à nouveau.

Pour tes cours de cuisine. Je t'en dois un.

Bon, donc c'est un mélange des options 1 et 3. Bien noté.

O.K. Les yeux dans les yeux, alors ?

Eh merde ! Pourquoi j'ai écrit un truc pareil ? Ce n'est pas un rencard, bien sûr ! Ça existe, les lapsus freudiens par messages interposés ?

Ouaip ! Je passe te chercher vers 18 h ?

La tension qui me crispait tout le corps disparaît. Ouf ! Il n'a pas relevé. Je pousse un immense soupir de soulagement.

À tout' ☺

Installée devant mon ordi pour prendre le pouls de mes tutos, j'arbore un large sourire, complètement irrépressible. J'ai du mal à me rappeler le mot de passe de mon compte tellement je suis troublée (mais c'est le trouble le plus agréable du monde).

Je finis par entrer la bonne chaîne de caractères au bout de la troisième tentative et j'entreprends de classer les questions qu'on me pose : quelques-unes dans un fichier intitulé « PEUT-ÊTRE » et d'autres directement à la poubelle. Peu importe combien ces sujets peuvent me rapporter, personnellement, je n'ai pas la moindre envie d'apprendre à cuisiner de la nourriture pour bébé maison, ni à dissimuler un cadavre sans me faire attraper. (Je me demande un instant s'il ne faudrait pas que je traque l'adresse IP de l'inconnu qui a posté cette question, mais bon…)

Ce soir, je vais sûrement m'attaquer à une ou deux questions cuisine. Les demandes les plus fréquentes ? Primo : des recettes et des techniques culinaires. Deuzio : des astuces vestimentaires ou cosmétiques. Tertio : des questions plus coquines. Qui vont de bons conseils pour rendre un simple hug mémorable, jusqu'à, eh bien, des demandes d'information qui atterrissent direct à la corbeille.

Disons-le tout net : pour l'instant, je n'ai pas pondu grand-chose à ce sujet. Le hic, c'est surtout que je n'ai pas fait grand-chose dont je puisse parler. J'espère bien changer ça dans un avenir… proche, si possible. Quelqu'un va bien finir, à un moment, par avoir le bon goût de me renverser en pleine rue pour me rouler des pelles au son d'un orchestre symphonique, non ? Ça ne saurait tarder, pas vrai ?

Étant donné la direction que viennent de prendre mes pensées, je ne mets pas longtemps à rêvasser de Seth. Ses mains dans mes cheveux, ses lèvres sur mon cou, ou ma bouche, ou n'importe où. Je parie qu'il sait comment utiliser sa langue comme un dieu.

Je retombe en arrière sur mon lit comme les héroïnes dans ces vieux films ringards que ma mère me forçait à regarder, autrefois. Parce que parfois, on a aussi le droit d'être cette fille-là, le premier rôle à qui tout réussi, mesdames messieurs ! Et, en cet instant précis, c'est l'impression que je ressens. Mes tutos font un beau score – en si peu de temps, Dieu sait que ce n'était pas gagné. J'ai déjà décroché une somme honorable (ce qui est complètement dingue, mais il faut croire que ces histoires d'anonymat boostent mon audience). Au lycée, des élèves comme Seth ou Taylor – notre aristocratie à nous – commencent enfin à se rendre compte que j'existe, et, ce soir, je vais cuisiner chez un véritable canon. Pour qui j'ai un faible depuis… des années ! Pas de doute… si vous avez l'occasion d'être cette fille-là, même une seule minute, il faut savoir savourer ce moment !

C'est ce que je fais. Toute la journée, je suis Tralala Renley. Je fais la vaisselle sans me plaindre, je prépare des sandwiches pour tout le monde au déjeuner, je parle du planétarium Hayden, que j'ai hâte de visiter une fois à New York, pendant vingt minutes au moins quasiment sans reprendre mon souffle. Je souris non-stop. Mon père est ravi, tout comme Stacey, qui secoue ses boucles blondes, radieuse. Elle doit croire que je commence enfin à l'accepter en tant que mère de substitution. Cette cruche s'imagine sans doute que le moindre de mes changements d'humeur a un rapport avec elle. Car tout adolescent mesure son bien-être à l'aune de sa relation avec sa belle-mère, c'est bien connu. Elle m'énerve tellement que je suis sur le point de me remettre à faire la tête. Mais non ! Je suis trop occupée à être la reine de la fête, et c'est absolument génial.

Le soir venu, je me suis changée six fois et remaquillée à deux reprises. Seule la sonnette qui retentit à 17 h 59 m'empêche de changer à nouveau de tenue et de retravailler mon ombre à paupières.

Je dévale les escaliers sans laisser à mon père le temps de répondre et je m'arrête à la porte, essoufflée d'avoir couru dix pauvres secondes. Je suis pourtant en pleine forme… Je suis vraiment ridicule. J'attends plusieurs secondes, le temps de me calmer, avant d'ouvrir le battant.

— Prête ? me demande Seth.

— Oui.

Je le suis jusqu'à sa voiture pour la deuxième fois de la semaine. La radio diffuse un morceau vintage hyper pointu. Seth m'observe du coin de l'œil, un petit sourire aux lèvres.

— Tu aimes ? Ou tu préfères que je mette de la pop-rap-dance-house ?

Je monte le son, non sans lui jeter un long regard vexé.

— Ah très bien ! se marre-t-il. Je savais que tu étais cool. C'était un test.

— Un test ? Mais je n'ai jamais connu l'échec, je te rappelle. Sinon tu ne me rémunérerais pas mes précieux cours de maths en friandises diverses et variées.

— Jamais connu l'échec, vraiment ? Mais alors qu'est-ce qui se passe avec Cole ?

— À part en cuisine, bien sûr. C'est l'exception qui confirme la règle.

Hilare, il prend un dernier tournant pour entrer dans son quartier.

— Je vois… Essaie de ne pas mettre le feu chez moi, si tu veux bien.

— Je vais voir ce que je peux faire. Mais je ne te promets rien, attention.

— En échange, j'essaierai d'éviter de mettre notre vie en danger pour cause de… problème mathématique ?

La faiblesse de sa blague le fait grimacer. Il se gare devant chez lui. Quand nous entrons, toutes les lumières sont éteintes.

— On est tout seuls ?

— Oui. Mon père et ma mère sont partis emmener mon petit frère chez un pote. Ils vont bientôt rentrer. Je ne voudrais pas que tes parents croient que j'essaie de te détourner du droit chemin, ajoute-t-il avec un clin d'œil.

— Pff… Ils s'en ficheraient complètement, crois-moi !

Une fois dans la cuisine, je le suis jusqu'à l'évier et l'imite quand il se lave consciencieusement les mains.

— Alors, dis-je, quel est le programme ?

— J'ai tout ce qu'il faut pour faire des champignons farcis.

— Ouh, attention les yeux…

L'idée de préparer quoi que ce soit de farci m'intimide beaucoup, étant donné que j'ai déjà du mal à faire réchauffer des nuggets. Mais je vais m'en tirer.

Seth sort une myriade d'ingrédients du réfrigérateur : champignons, chapelure, gousses d'ail, plusieurs sortes de fromages que je suis incapable d'identifier, plus d'autres trucs perdus dans la pile de nourriture qu'il dépose sur l'îlot de granit qui occupe le centre de la pièce.

— Mais il doit bien y avoir une centaine d'ingrédients !

— Euh… une quinzaine, plutôt, répond-il avec un haussement d'épaules amusé.

— C'est notre première leçon. Tu n'aurais pas pu commencer par la recette des pâtes bolognaise ?

— Oh, allez ! Tu n'es pas du genre à refuser un défi, si ?

Écartant une boucle noire qui lui tombe devant les yeux, il hausse un sourcil, les yeux plantés dans les miens, une lueur de malice dans le regard. J'ai chaud et froid à la fois.

— Tu as raison. J'adore les défis.

— Tant mieux.

En deux temps, trois mouvements, il aligne les ingrédients dans un ordre plus logique. Je m'appuie sur le plan de travail, le menton dans la main.

— Je préfère te prévenir : avec moi, pas de pâtes, pas de ragoûts, ni préparations pour gâteaux. Je ne fais rien à moitié.

Il pose sur moi un nouveau regard inquisiteur et pousse dans ma direction le tas de champignons, que je contemple avec méfiance.

— Ça me va. Alors, on commence par quoi ?

— D'abord, tu vas ôter le chapeau de ces champignons.

— Pardon ? Tu me parles chinois.

Avec un rire, il fait le tour du comptoir pour me rejoindre.

— Ceci, fait-il en désignant la plus grosse partie, est le chapeau. Et ça, c'est le pied. Tu n'as qu'à séparer les deux et me donner les chapeaux pour que je les lave.

J'attrape un des pieds, que je casse – c'est simple comme bonjour ! Enfin un truc que je ne peux pas foirer ! Je devrais remercier Seth. Je fais subir le même traitement à tous les champignons, que je lui tends pour qu'il les lave, une tâche dont il s'acquitte à la vitesse de l'éclair. Il me rapporte ensuite le bol de chapeaux.

— Bon, on va les mettre de côté pour le moment. C'est là que ça devient marrant, tu vas voir.

Il me tend un couteau gigantesque qui me paraît affûté comme un rasoir. Mon regard horrifié passe frénétiquement de Seth à la lame menaçante que je brandis.

— Je ne vais pas te planter, détends-toi, dit-il.

— Oh non… C'est moi qui vais me poignarder avec.

— Tout va bien se passer.

Il passe derrière moi, tend le bras et pousse tous les pieds sur une planche à découper.

— Rien d'infaisable, tu vas survivre. Hache le tout et mets-les ensuite dans cette poêle.

J'observe les pieds comme s'ils allaient me sauter à la gorge. Ce qu'ils s'abstiennent de faire. Alors j'abats le couteau au hasard et un morceau bondit.

— O.K., d'accord ! Non, pas comme ça. Tu n'es pas censée les assassiner. Tu les as déjà décapités, je te rappelle.

Je rougis et me mets à couper plus doucement. Une fois de plus des morceaux de champignons sautillent dans tous les sens.

— Je vois. Ça tourne un peu au massacre… Laisse-moi te montrer.

Il me prend le couteau qu'il tient fermement d'une main tandis que l'autre retient la planche. Puis il pose l'extrémité de la lame sur le bambou et abaisse le manche. La pointe ne quitte jamais le bois de la planche. Nom d'un chien, même la précision et l'assurance de son geste ont le don de m'émoustiller… Et bien sûr, à présent, un tas de pieds de champignons parfaitement hachés m'observent depuis le plan de travail.

Seth me rend l'ustensile. Je réessaie mais la pointe de la lame refuse de rester sur la planche. Tout ce que je fais, c'est déplacer des bouts de champignons un peu partout.

— Presque, dit-il. Comme ça.

Il pose sa main droite sur la mienne, la gauche sur mon épaule et abaisse lentement le manche du couteau, avant d'accélérer jusqu'à ce qu'il… jusqu'à ce que nous nous retrouvions en train de couper les champignons à la perfection.

Il a la paume chaude et encore humide de les avoir rincés. J'aurais préféré ne pas remarquer la légère pression de sa main sur mon épaule, la chaleur de son souffle près de mon oreille. Il me lâche doucement et recule pour me laisser prendre le relais. Et là, c'est le miracle : je maîtrise complètement cette technique.

Je me persuade que les battements affolés de mon cœur sont la conséquence de ce succès sans précédent et non du contact prolongé avec le cuisinier. *Il a une copine. Il a une copine.*

— Magnifique, fait-il.

— Quoi ?

Je dépose mon instrument sur le granit du comptoir et me retourne.

— Les pieds. Ils sont magnifiques.

— Ah… Euh, oui. Merci.

Il s'empare de la planche pour verser les morceaux de champignons dans la poêle.

— Bon, j'ai menti : c'est maintenant que ça devient vraiment sympa.

Il m'invite à le rejoindre devant les plaques. Quand il allume la cuisinière, des visions de brûlures au troisième degré et de maisons en feu commencent à m'assaillir.

— Apporte, euh… tout le reste, fait-il pendant que le beurre fond dans la poêle.

Je m'exécute, puis il s'écarte.

— O.K., à toi de jouer.

Sur-le-champ, je me sens pâlir.

— Qu'est-ce que je dois faire ?

— Ajoute un peu de ça au mélange. Un peu plus. Bien.

Ce manège dure un petit moment. Je remue le contenu de la poêle en y saupoudrant des ingrédients comme si j'étais Gordon Ramsay. Un rien de fromage, une pointe d'ail, un soupçon de panure, et hop ! on recommence.

— Et le secret du chef.

Il me tend une bouteille.

— Attends… De la bière ? dis-je, taquine. Ne me dis pas que tu es un rebelle ?

— Peut-être. Ne le répète à personne.

J'en verse un peu dans la poêle, puis il me reprend l'objet du délit pour boire au goulot.

— Tu devrais m'impliquer dans l'affaire, histoire de t'assurer de mon silence…

Je lui pique la bouteille, que je porte à mes lèvres : je les pose là où les siennes se trouvaient quelques secondes plus tôt. Bien entendu, je me demande aussitôt comment ce serait de l'embrasser. Je prends une gorgée sans le quitter des yeux. Je ne pense qu'à sa bouche contre la mienne et surtout pas à ma haine viscérale de la bière – j'ai horreur de ça. Forcément, dès que le liquide touche ma langue, j'ai envie de tout recracher. *Bravo… La séduction incarnée, ma vieille…* Je dois me forcer à avaler.

Il semble un peu dérouté quand je lève les deux pouces, le visage figé comme un masque. Il me reprend la bouteille qu'il sirote, appuyé contre le plan de travail, pendant que je touille la préparation. Des pensées étranges traversent ma cervelle surchauffée : est-ce qu'il sent le goût de mon gloss à la cerise ? La combinaison des deux saveurs est peut-être bonne ? *Vraiment pathétique…*

Dans la poêle, le mélange grésille et dégage une odeur exquise. Beurre, ail, champignons et un brin de paradis… Quel délice ! Je le hume, les yeux fermés – je me sens bien au milieu des effluves généreux et de la chaleur rassurante de la cuisine.

Sans bruit, Seth éteint le feu et retire la poêle de la plaque. Il la pose sur un petit dessous de plat et sort deux cuillères : une pour moi, une pour lui.

— Maintenant, il faut déposer cette farce dans les chapeaux.

Je m'assieds face à lui, toujours subjuguée par les parfums alléchants qui s'insinuent dans tous les recoins de la pièce. Stacey, même si c'est apparemment la compagne idéale pour mon père, ne sait pas cuisiner autre chose que des œufs au plat. Aucun de nous trois n'y connaît rien, les gueuletons se font donc plus que rares. Bref, je suis au septième ciel.

Du bout de ma cuillère, je mélange rêveusement la préparation en provenance directe du paradis et me mets au travail en compagnie de Seth. Nous farcissons les champignons en silence avant de les déposer dans un plat métallique et de les saupoudrer de fromage. Dans sa grande sagesse, Seth se charge d'insérer le tout lui-même dans le four chaud, m'épargnant sans doute des cicatrices à vie.

— Il n'y a plus qu'à attendre une quinzaine de minutes.

— Cette odeur est à tomber à la renverse. Je n'arrive pas à m'en remettre.

— On est d'accord ! Je suis tellement accro que je ne me mettrai jamais à la fumette, pas besoin !

Quand il se penche, une chaîne sort du col de sa chemise. J'en attrape le pendentif.

— C'est quoi ?

— L'étoile de David. Ma mère me l'a offerte pour mes dix-sept ans, le mois dernier. Et la chaîne vient de... euh... Taylor.

Il n'arrive pas à me regarder dans les yeux et, dans un toussotement, je lâche le bijou comme s'il me brûlait soudain les doigts.

Une longue minute s'écoule dans un silence gêné, et je crois que nous sommes tous deux éminemment soulagés quand ses parents débarquent.

— Seth, ça sent merveilleusement bon, qu'est-ce que c'est ? s'écrie sa mère.

Elle a une belle voix harmonieuse et je l'entends sourire d'ici. Ils pénètrent dans la cuisine, où ils entreprennent de se débarrasser de leurs manteaux. Son père m'adresse un large sourire et me tend une énorme main que je serre. Ils sont tous les deux beaux comme des stars de cinéma. Son père est grand, avec d'immenses yeux chaleureux, tandis que sa mère est petite et voluptueuse, ses lèvres d'un rose exquis, parfaitement dessinées. Ils ont le même teint mat que leur fils.

— Je vous présente Renley.

— Ah oui, ton amie qui donne des cours de soutien. Enchanté ! lance son père.

Argh… L'amie qui lui donne des cours. Est-il possible de se trouver davantage dans la *friend zone* ?

Mais j'oublie vite ce petit affront : leur enthousiasme est communicatif. Difficile de ne pas apprécier l'incroyable cacophonie que ces deux-là parviennent à créer ensemble. La puissance de leurs deux voix conjuguées est telle qu'on entend à peine le minuteur du four se mettre à sonner.

Seth sort les champignons et patiente cinq minutes au milieu du vacarme avant de m'en tendre un.

— L'instant de vérité, dit-il.

Je mords d'abord dedans avec hésitation. Mais je fourre aussitôt le tout dans ma bouche, émerveillée. Il faut dire que je n'ai aucun sens des bonnes manières. Les saveurs éclatent – fromage, champignon, épices – pour se fondre toutes ensemble. Je crois que je pousse un petit gémissement. Ce serait très gênant en temps normal, mais je suis certaine que personne ne m'entend.

— C'est incroyable ! dis-je avec un soupir.

Seth en avale un entier et acquiesce, les yeux brillants.

— Pas mal, pour ton premier cours.

— Pas mal, c'est tout ?

— Pas mal. Tu es reçue, je dirais.

Il m'adresse un clin d'œil et je saisis un autre champignon. Pourvu qu'il se plante en trigo des mois durant et que je ne m'améliore jamais en cuisine !

TUTO N°12 : EMBRASSER COMME UNE DÉESSE

Confortablement installée devant mon ordinateur, je me mets à secouer nerveusement la jambe – à tel point que certaines de mes affaires commencent à tomber de mon bureau. Je viens de me ronger l'ongle de l'index jusqu'au sang. Certes, j'ai passé ces derniers jours à penser à Seth quasiment du matin au soir. Comment faire autrement ? Depuis l'émergence de toutes ces émissions culinaires et la frénésie que tout le monde met à s'improviser spécialiste de l'art de vivre, une soirée passée à cuisiner les yeux dans les yeux avec quelqu'un est presque devenue un fantasme. Mais ce n'est pas ce qui me met dans un tel état.

Une des questions posées par mes abonnés à mon alter ego, SweetLifeCoach, ne cesse de m'obséder. Elle traîne à l'arrière de ma tête depuis des lustres. J'aurais voulu l'effacer à la seconde même où elle est apparue, mais impossible de passer à côté. Sans doute parce qu'elle fait aussi partie du top des recherches Google et qu'une réponse donnée par une experte certifiée dans ce domaine a de bonnes chances de me valoir un boost d'audience.

Impossible de faire l'impasse, je suis certaine que ça vaudrait le coup. J'empoigne mon fidèle téléphone, commence à taper un message, tout ça pour m'interrompre et le reposer pour la énième fois. Ce petit délire dure depuis plusieurs heures, c'est vraiment ridicule. Je n'ai plus douze ans, enfin ! *Du nerf, Renley !* Je n'ai plus qu'à me comporter en adulte et lui envoyer ce texto.

Plusieurs tentatives avortées plus tard, je parviens enfin à prendre mon courage à deux mains.

Je peux passer ?

Je clique sur « ENVOI » avant de pouvoir considérer mon erreur plus longuement. Quelques secondes plus tard, Drew répond.

À ton avis ?

Je me lève tellement vite que je fais faire un bond à toutes les fournitures encore sur mon bureau. Je glisse une main dans mes cheveux pour leur donner un peu de volume. Avant de sortir, je fourre un chewing-gum dans ma bouche, pour faire bonne mesure. Non, deux, allez.

Je cours presque jusqu'à la maison voisine, à la porte de laquelle je me mets à frapper en évitant avec application de réfléchir à ce que je m'apprête à lui demander, ou à ce que ça pourrait changer entre nous.

J'essaie de ne penser à rien, point à la ligne.

Il entrouvre le battant, l'air tout à fait normal, ce qui dans mon état de nervosité me paraît complètement absurde.

— Ouh là... Ça va ? me demande-t-il avec un sourire d'abord chaleureux mais qui se fait de plus en plus inquiet à mesure qu'il me dévisage.

— Ça va, merci.

J'ai parlé d'un ton sec – Dieu seul sait pourquoi je suis énervée. Je ne le suis même pas, d'ailleurs, pas vraiment. Promis juré, votre Honneur.

Je pousse la porte pour pénétrer dans l'entrée. Un peu méfiant, il garde ses distances.

— Viens, dit-il, allons en bas. Ma chambre est en chantier.

C'est l'équivalent, en version codée, de : « Il y a des sous-vêtements de fille (entre autres) qui traînent par terre et je préférerais éviter tout incident diplomatique. »

Je m'engage sans attendre dans l'escalier qui mène au sous-sol. Je préfère ouvrir la marche. À chaque fois, je me demande pourquoi on n'y passe pas plus de temps. La pièce est immense, tapissée d'une moquette, déjà aménagée et, pour ne rien gâcher, d'une propreté immaculée. Mieux vaut ça que sa petite chambre sale qui sent le fauve. Enfin pour le moment, on s'en fout.

Je vais directement m'asseoir dans un coin en évitant délibérément son regard. Les nerfs à vif, je commence à me ronger les ongles en mâchonnant mon chewing-gum avec une application presque maniaque.

Il s'assied en tailleur devant moi.

— Bon, Renley, tu me fais peur, là.

— J'ai besoin que tu me rendes un service.

— D'accoooord…

Je jette mon chewing-gum dans la poubelle la plus proche, puis je prends une profonde inspiration.

— Il faut que tu m'apprennes quelque chose.

— C'est pour un tuto ? J'ai des cravates à revendre dans ma chambre, si tu veux !

— Non, ce n'est pas ça.

Mais même confrontée de longues secondes à son regard inquisiteur, je n'arrive pas à poursuivre.

— Allez, mon lapin, crache le morceau, sourit-il. De quoi as-tu besoin ? Je suis tout à toi.

Je finis par relever la tête.

— J'ai besoin que tu… hum… c'est très bête. J'ai besoin que tu m'apprennes à embrasser.

Il en reste bouche bée.

— C'est une blague ? dit-il d'une voix étranglée.

Je n'attendais que ça pour me relever d'un bond. Quelle idée ridicule, bien sûr !

— Ce n'est pas grave… C'est idiot, oublie. Il faut que je rentre.

Il m'attrape le poignet, les yeux levés vers moi, et me retient avec douceur.

— Non, reste.

Lentement, je me rassieds. Je le dévisage fixement, même si je serais prête à payer une petite fortune pour regarder n'importe quoi d'autre à la place.

— Donc, tu dois expliquer à tes fidèles abonnés les meilleures méthodes pour se lécher le visage et tu as décidé de recourir à mon expertise ?

Il remue exagérément les sourcils, taquin, comme si ce n'était pas du tout le moment le plus gênant de mon existence.

— Arrête, je vais gerber ! Et : oui, je n'ai personne d'autre à qui demander.

— Pas même April ? Je parie qu'elle t'aiderait. N'oublie pas de m'inviter, si ça se fait.

Je lui donne un bon coup dans la poitrine qui le fait basculer en arrière, tordu de rire.

— Sérieusement, reprend-il, tu as besoin de devenir une experte certifiée sur le sujet, donc ? Première question : tu as déjà embrassé un garçon, au moins ?

— J'ai seize ans, je te signale. Bien sûr que oui, qu'est-ce que tu crois ?

Il se rapproche un petit peu.

— Avec la langue ?

Je détourne la tête, les lèvres pincées.

— C'est bien ce que je pensais. Tu devrais peut-être me laisser préparer ce tuto à ta place.

Je réfléchis un instant à cette possibilité. Drew a dû embrasser l'équivalent de la totalité de la population d'un petit pays depuis le temps, donc peut-être que… Ce serait une échappatoire bien commode, tout de même. Mais non. Je dois le faire moi-même. Je roule des yeux excédés.

— Bon, ça suffit. Tu es partant ou pas ?

Son petit rictus moqueur s'estompe un peu et il me regarde droit dans les yeux d'un air un brin dubitatif.

— Donc tu me demandes… de t'embrasser.

Je pousse un soupir tremblant.

— Oui.

Il approche son visage du mien. Je me prends à reculer le buste de quelques centimètres. Prise de court, je lâche :

— Qu'est-ce que tu fiches ?

— Renley… Je vais t'embrasser.

Je me contrains à faire machine arrière. Lui se penche encore, toujours sans me toucher. Quand il finit par poser ses lèvres sur les miennes, je me retrouve au beau milieu de la scène finale de *Seize bougies pour Sam*, un *teen movie* que j'adore. Ma mère m'a forcée à regarder ce film quelques mois avant son divorce – la honte, d'ailleurs : elle avait complètement oublié qu'il comportait son content de poitrines dénudées et d'insanités. Enfin bref, on s'en fiche. Drew est en train de m'embrasser. Et c'est comme dans *Seize bougies pour Sam*, quand Samantha et Jake joignent chastement leurs bouches par-dessus le gâteau d'anniversaire. Un tout petit baiser, presque innocent, pas le moindre frisson sensuel.

Il s'écarte avec un grand sourire et se lèche les lèvres, pensif.

— Chewing-gum à la pomme, donc ? Un choix intéressant.

— Ferme-là, pas de commentaires.

— Avant de remettre ça, j'ai juste une chose à ajouter.

Je ferme les yeux, craignant le pire.

— Vas-y...

— Je... Tu le sais, je suis amoureux de toi. Ce n'est pas un secret d'État. Si je me prends au jeu, si je vais trop loin, il faut que tu me le dises. Parce que, et je suis sincère avec toi, là, si je commence à t'embrasser, il se peut que je me mette à penser avec ce qu'il y a dans mon pantalon, et ce truc-là ne sait pas que je fais ça pour un tuto.

Je ne sais plus où me mettre. J'ai littéralement la plus grosse bouffée de chaleur de ma vie.

— Très éloquent, bravo.

— Je suis sérieux.

— Je sais. Et je te fais confiance, Drew. Mais O.K., si jamais tu vas trop loin, je te le dirai.

— D'accord.

Le silence retombe quelques instants, puis il vient plus près de moi encore. Beaucoup plus près.

— Bon, on y retourne. Mais cette fois, je vais utiliser ma langue.

Je me pétrifie sur place. J'essaie désespérément de me ressaisir, mais avec le bourdonnement que j'ai dans les oreilles, je n'entends plus grand-chose. Je réponds la première chose qui me passe par la tête :

— D'accord.

Il se penche – en prenant largement son temps, ce coup-ci. À l'œil nu, je vois bien qu'il tremble. Puis ses lèvres effleurent les miennes, presque imperceptiblement au début. Cette fois, peut-être parce que je comprends enfin que c'est réel, peut-être parce que je sais ce qui va se passer, j'ai des picotements partout sur le corps. Sa bouche pousse délicatement la mienne à s'ouvrir et une langue s'y insinue avec douceur. Alerte rouge, il y a une langue de garçon dans ma bouche. Qu'est-ce que je suis censée faire ? Oh non… Est-ce que je dois la lécher, un truc comme ça ? Je ne suis même pas certaine d'avoir assez de place pour vraiment bouger la mienne. Je crois bien que je suis en train de la mordre, là. Ça ne va pas du tout. SOS. SOS ! Soudain, il glisse une main le long de ma cuisse et je recule si violemment que je me cogne la tête contre le mur.

Il sursaute aussi, comme si je lui avais donné un coup de fourchette.

— Tu m'as touché la jambe. Tu as mis ta langue dans ma bouche. Bordel de… Drew, tu m'as léché la bouche !

— Non, ce n'est pas ce que j'ai fait.

— Tu te fous de moi ? Comment tu appelles ça, alors ? Et ta main ?

— Pardon, votre Altesse, grogne-t-il, clairement agacé. Désolé de vous avoir touché la cuisse. Mes plus plates excuses. Ça me semble plutôt courant, non ? Désolé mais, d'habitude, quand j'embrasse une fille, je la touche, oui. Ce n'est pas comme si je te pelotais à mort, non plus.

Je secoue la tête, encore et encore.

— C'était une très, très mauvaise idée.

— Mais non ! Il faut juste que tu te détendes.

— Que… Que moi, je me détende ? Tu trembles de la tête aux pieds et tu me sors des avertissements de violeur en série avant d'ouvrir le bal mais, à part ça, c'est moi qui dois me détendre ?

Il se renfrogne visiblement.

— O.K., mademoiselle, je vais faire comme si tu n'avais rien dit et t'apprendre à rouler une pelle, d'accord ? Tu réfléchis trop. Quand je t'embrasse, tu te demandes où tu dois mettre ta langue et ce que tu es censée ressentir au juste et tu penses : « Mais dis donc, ce ne seraient pas des doigts, là, sur ma cuisse ? » Arrête un peu ton cinéma ! Cesse de réfléchir et laisse-moi simplement t'embrasser…

Mon cœur bat à cent à l'heure. Mes doigts commencent à trembler. Drew se remet en condition : les yeux fixés sur mon visage, il repousse derrière mon oreille une mèche égarée, glisse une main dans mes cheveux et, d'un geste de plus en plus lent, passe l'autre sous ma chemise, tout contre ma taille. Puis il se colle contre moi, si près que c'est presque comme si on s'embrassait déjà. Et il attend, les lèvres suspendues à un souffle des miennes, que l'envie naisse en moi de l'embrasser. Et, à ma grande surprise, c'est moi qui fais le reste du chemin.

Quand nos bouches se rencontrent, c'est à mon initiative, mais Drew reprend vite le dessus. Les doigts dans mes cheveux, il presse mon visage contre le sien. Cette fois, quand sa langue franchit la barrière de mes lèvres, je me laisse faire. J'essaie de ne pas réfléchir, de ne pas tout analyser, je m'autorise à ressentir l'émotion qui enfle dans ma poitrine, le contact de sa main au creux de mes reins, sa bouche qui remue tout contre la mienne.

Il me pousse doucement contre le mur et quand mes paumes se posent sur sa nuque, il exhale un souffle rauque avant de m'attirer presque violemment à lui. Alors et seulement alors, je comprends que je dois arrêter. Je n'en ai pas envie, mais je le fais quand même : j'appuie légèrement sur sa poitrine.

Il s'écarte et je reste là à le dévisager, la gorge serrée.

— Pas mal pour une première fois, finit-il par dire avec un sourire narquois.

Pourtant c'est bien de la peine que je distingue dans ses yeux.

— Ah bah merci ! Tu sais tourner un compliment, dis donc !

— Non, mais rouler des pelles, ça oui.

Je rigole surtout parce qu'il faut absolument que j'évacue la tension qui m'habite, j'ai l'impression d'être remontée à bloc, comme un ressort sur le point de sauter.

— Bon, c'est tout pour aujourd'hui, décrète-t-il.

Il se lève, le dos tourné.

— Tu vas où ?

— Prendre une douche froide.

Sans un mot de plus, il remonte les escaliers. Assise immobile, je passe un long moment à considérer ce baiser sous tous les angles, à le revivre encore et encore. Je ne vais rien produire sur ce sujet avant quelque temps. Je n'en suis pas encore là, pas après une seule séance. Mais je reviendrai, pour une nouvelle leçon. C'est débile, je sais. Mais je le ferai quand même, parce que parfois, je suis débile.

TUTO N°13 : DÉCROCHER UNE INVITATION À LA PLUS GROSSE SOIRÉE DU SEMESTRE

À mon réveil, je sens encore les lèvres de Drew sur les miennes. J'y pense sans arrêt depuis hier. Mais pas parce que j'ai des sentiments pour lui, attention. C'est absolument exclu. Du moins, ça devrait l'être. Nom d'un chien, je suis sérieusement atteinte… Impossible que je puisse ressentir quoi que ce soit pour Drew, puisqu'en ce moment même, ce grand malade est encore en train de se réveiller aux côtés d'une nouvelle étudiante à moitié nue. Non, je ressens ce que n'importe quelle fille (et, avec lui, les heureuses élues se comptent sûrement en centaines) ressentirait après un tel baiser.

Mais quand même… Allongée sous ma couette, les doigts sur les lèvres, je me repasse le film de la veille en boucle, en me demandant ce que j'aurais dû faire différemment, s'il a pensé que j'étais nulle (et là ce serait le pompon, puisque je partais avec un avantage comme il m'aime bien), s'il a pris son pied. Je reste là une éternité sans parvenir à me traîner hors du lit, jusqu'à ce que mon portable se mette à vibrer.

C'est sûrement Drew. Ou peut-être April qui confirme nos projets de ce soir ? D'une main hésitante, j'attrape l'appareil sur ma table de nuit. C'est Seth. Pour la deuxième fois en quelques jours, il me surprend au saut du lit avec un message. Je me pince pour m'assurer que je ne suis pas en train de rêver – même si, pour être honnête, je ne sais pas vraiment pourquoi on fait ce truc-là, exactement. L'idée, c'est qu'on ne ressent pas de douleur dans un rêve ? À mon avis, c'est des conneries. Enfin bref, je le fais quand même (les habitudes ont la vie dure) et je parviens à la conclusion que je suis on ne peut plus éveillée.

Salut, Renley. Tu es libre ce soir ?

Oui. Pourquoi ?

Une des potes de Taylor organise un feu de joie. Je me suis dit que ça te plairait.

Je cligne des yeux comme une ahurie. Depuis quand on m'invite à des soirées qui ne sont pas organisées par le club de maths ? Pour la jouer cool, je réponds :

Quelle heure ?

À la nuit tombée. Au bord du lac. Ça t'intéresse ?

Ouaip ! Mais j'ai pas de voiture. :/

Pas grave. Je passe te chercher.

Cool. À tout'.

Je me redresse dans mon lit, parfaitement réveillée à présent. Ce soir, je vais faire la fête. Au bord du lac. Avec des élèves que tout le monde connaît sans les connaître. Mais après cette soirée, moi, je les connaîtrai pour de bon. C'est la folie !

Je bondis hors de ma couette, attache mes cheveux en une vague queue de cheval et dévale les escaliers jusqu'à la cuisine.

— Salut, Leelee ! s'exclame Stacey sans se départir du sourire géant qu'elle a peint sur la figure en permanence.

Je me demande comment elle fait pour le garder en permanence accroché au visage depuis cinq ans. À dire vrai, je suis presque impressionnée.

— Tu es tombée du lit, ce matin !

— Oui.

Il est 10 heures passées… donc pas si tôt que ça. Mais elle n'est pas habituée à me voir descendre avant midi, heure à laquelle je suis forcée de sortir de ma tanière et de venir lui faire la conversation.

— Tu veux que je te prépare le petit-déjeuner ?

Elle va faire quoi ? Mettre un toast dans le grille-pain ?

— Euh… O.K. Qu'est-ce qu'il y a au menu ?

Elle s'avance jusqu'au placard le plus proche en marchant comme un top model sur un podium.

— Lucky Charms, Cheerios et Froot Loops.

— Des Cheerios.

Je me renverse en arrière sur ma chaise. J'ai plutôt tendance à me débrouiller toute seule, mais en ce qui concerne Stacey, j'accepte tout ce qu'elle propose de faire pour moi – et c'est beaucoup. La pauvre est taraudée par la culpabilité, en mode « C'est moi, la vilaine Briseuse de foyer, pardon d'avoir détruit ta famille et poussé ta mère à t'abandonner ». Si elle veut. Je prends.

Les mains croisées derrière la tête, les yeux perdus dans le vague, je me laisse aller à rêver de soirées arrosées autour d'un feu de joie. Stacey dépose un bol et une cuillère devant moi avec un sourire entendu (comme si elle était assez vieille pour prétendre posséder la moindre once de sagesse parentale).

— Je connais ce regard… dit-elle d'une voix chantante.

— Lequel ?

Je noie mes Cheerios dans une généreuse dose de lait avant de croquer dedans pour couvrir le bruit de ses élucubrations.

— Tu as un copain.

Je pousse un gémissement excédé.

— Mais c'est O.K. ! Enfin… c'est super ! se reprend-elle. Aah, je me rappelle mon premier coup de cœur comme si c'était hier ! J'étais en troisième…

— Ce qui doit faire… Quoi ? Deux ou trois ans maximum ? marmonné-je dans ma barbe.

Elle s'interrompt net, marque un temps, avant de poursuivre comme si de rien n'était.

— J'étais en troisième et il était dans l'équipe de base-ball. Tellement mignon. Il m'a embrassée une fois.

Tout sourires, elle pose le menton sur ses paumes, accoudée à la table.

— Génial, dis-je d'un ton sarcastique.

J'enfourne le restant de mes céréales dans ma bouche.

— Bon… Enfin, je trouve juste que c'est chouette, souffle-t-elle.

Je n'ajoute pas un mot. Parfois, j'oublie qu'elle est du matin et je fais l'erreur de sortir de ma chambre trop tôt. Mon père n'est pas là pour faire tampon entre nous, c'est une véritable torture. Je remonte à l'étage à la seconde où je termine mon petit-déjeuner et je l'abandonne là, seule dans la cuisine, un bol vide entre les mains.

J'ai deux appels manqués d'April.

Je la rappelle et elle décroche à la première sonnerie.

— Salut, la belle ! fait-elle, bien trop gaie pour une heure aussi matinale.

— Salut, toi.

— Alors, pour ce soir ?

— Ah zut ! On devait se voir ce soir ? J'étais sûre que c'était demain.

Mensonge. Silence au bout de la ligne. Puis :

— Ah bon ? Alors qu'on est dimanche et que pour une fois on n'a pas cours lundi ? Tu as cru que j'allais venir dormir chez toi un soir où il y a classe le lendemain ?

Son ton sarcastique m'indique clairement qu'elle ne me croit pas.

— Je te jure. C'est juste que j'ai… un truc, ce soir.

— Quel genre de truc ?

— Avec Seth.

— Ooooh ! s'écrie-t-elle d'une voix faussement enthousiaste. Seth, encore lui ? Je te comprends. C'est sûrement plus marrant de lui rouler des pelles à lui qu'à moi.

— Je ne lui roule pas de palots, je te signale.

— Ma pauvre Renley, toujours vierge de la bouche ?

Elle ajoute quelques « Tss… » réprobateurs mais, pour une raison qui m'échappe, je n'ai pas envie de la corriger.

— Tu sais, si tu ne t'occupes pas de ce problème très vite, ta langue va finir par se flétrir, balance-t-elle.

— Sans blague…

— Je te rapporte juste ce que j'ai lu.

Un silence gênant s'installe.

— Alors… je peux peut-être venir après ? finit-elle par proposer.

— Le truc, c'est que je ne sais pas combien de temps ça va durer.

— Ah, O.K. Très bien. On se voit plus ta…

Elle raccroche avant de finir sa phrase. La culpabilité me ronge l'estomac. Je ne devrais pas annuler mes plans avec April pour aller flirter avec un mec qui a déjà une copine. Mais à ma place, elle ferait exactement la même chose.

Mais non, tu rêves.

Je ne peux pas me permettre de penser à elle toute la journée, je ne veux pas gâcher la soirée géniale qui s'annonce. Alors je me distrais en traînant sur Internet.

J'enchaîne sur mes devoirs et je termine par une série de tentatives improbables de coiffures et de maquillages qui m'occupe jusqu'à la tombée de la nuit.

Lorsqu'on sonne à la porte, Stacey me prend de vitesse et ouvre elle-même à Seth, que j'entends se présenter d'une voix étouffée par le battant entrouvert. Je dévale l'escalier quatre à quatre.

— Je suis la mère de Renley, répond-elle.

Les poils de mes bras se hérissent. Elle s'imagine sans doute que je ne l'ai pas entendue. Je me tais, l'air mauvais, jusqu'à ce qu'elle s'aperçoive de ma présence. Aussitôt, elle me lance un petit clin d'œil plein de connivence : de toute évidence, Seth est son type de garçon, elle tient à me faire savoir qu'elle approuve mon choix. Je continue à la fusiller du regard en silence. Une seconde passe, puis son visage se décompose et elle se corrige :

— Sa belle-mère. Je suis la belle-mère de Renley.

J'entre dans le champ de vision de Seth, qui sourit.

— Tu es prête ?

— Depuis mille ans.

J'attrape un manteau léger dans la penderie et passe la porte sans traîner, suivie de Seth.

— Ça ne t'ennuie pas de monter à l'arrière ?

Un coup d'œil à sa voiture : la place du mort est occupée par Taylor – rien d'étonnant à ça, mais j'ai sur-le-champ la boule au ventre. Je murmure mon assentiment et je grimpe dans le véhicule, un sourire superficiel plaqué sur le visage.

— Salut, Renley ! Tu as pu venir, c'est cool !

— Salut, Taylor.

Malgré mon envie irrépressible de la haïr d'entrée, je suis prise d'un petit frisson de joie en l'entendant prononcer mon nom. C'est absurde, mais je me prendrais presque pour une célébrité, tout ça juste parce qu'une des filles les plus en vue du lycée sait qui je suis… Bref, un zeste de sincérité se glisse dans mon sourire quand je m'installe sur le siège.

Seth prend place au volant et nous nous mettons en route. Il monte tout de suite le son de la radio pour couvrir le silence inconfortable qui règne dans l'habitacle. Je me demande si le malaise est lié à ma présence ou au fait que Taylor et lui sont en froid. Je remarque que leurs coudes ne se touchent même pas, alors qu'ils sont l'un comme l'autre posés sur la console centrale.

Je secoue la tête, irritée par la direction qu'ont prise mes pensées. Ces spéculations sans fondement ne me mèneront à rien d'autre qu'à une déception, c'est sûr. Alors, pour me distraire, je regarde le paysage par la vitre.

J'habite tout près du lac, donc le trajet ne dure pas. Le feu de joie est visible de loin et, quand nous nous garons, des basses poussées à fond font vibrer les parois de la caisse. Aucun rapport avec la musique de l'autoradio – le mélange ne ressemble à rien.

Une fois sortie de la voiture, je me retrouve entourée d'une ribambelle d'élèves connus. Taylor s'éloigne d'un pas plein d'entrain, sûrement pour retrouver son troupeau d'amies. Seth la regarde partir sans mot dire avant de se tourner vers moi.

— Tu veux une bière ?

Les gens autour de nous ont tous un gobelet de plastique rouge à la main.

— Non merci. Bizarrement, boire ici, ça me paraît plus illégal que d'en siroter une petite tous les deux dans ta cuisine.

Il s'esclaffe.

— Je m'en doute. Écoute, je ramène tout le monde ce soir, donc on n'a qu'à être sobres ensemble.

Il s'avance vers la glacière, plonge une main au milieu d'une marée de cubes transparents et en ressort deux canettes de Dr. Pepper. Je souris intérieurement : il n'a pas oublié.

— Viens, lance-t-il, je vais te présenter quelques-uns de mes potes.

Je le suis plus près du feu, où un groupe d'élèves tous plus beaux les uns que les autres est installé. Seth s'assied sur un tronc d'arbre abattu où il reste quelques places. Je l'y rejoins sans tenir compte de la fumée qui me pique les yeux.

Il se penche et donne un petit coup d'épaule à sa voisine de droite.

— Qu'est-ce que tu regardes ?

— *Sweet Life*. Un blog qui a sa chaîne de tutos.

— Ah oui, je connais. Taylor n'en rate pas un seul.

J'ouvre des yeux si grands qu'ils manquent de quitter leurs orbites. Taylor ! Taylor regarde mes vidéos ! Et elle n'est pas la seule, à ce que je constate. La brochette de canons qui m'entourent sont toutes penchées sur leur smartphone. Je n'en reviens pas.

La fille lâche enfin son écran du regard et me sourit. Elle est comme tout le monde dans le périmètre : plus que jolie. Elle a les cheveux noirs, la peau mate, des yeux immenses.

— Tu n'es pas venu tout seul, à ce que je vois ? dit-elle à Seth.

— C'est Renley. Elle me sauve la vie en trigo.

— Salut, moi c'est Sam, dit-elle.

Toutes se présentent les unes après les autres – une blonde du nom d'Emily, une fille pulpeuse prénommée Sophie et une grande perche qui s'appelle Ash. Personne n'a l'air de remarquer que je n'appartiens pas à leur monde. J'observe les différents membres du cercle et me dis qu'après tout, peut-être que, pour la première fois de ma vie, j'ai ma place dans cette soirée.

En effet, une bonne moitié a les cheveux tressés en cascade et sirote un soda. Je me fonds donc parfaitement dans le décor. Je me détends un peu. Seth pivote sur le tronc d'arbre pour parler à deux gars derrière lui tandis que je triture la languette de mon Dr. Pepper.

— Est-ce qu'on se connaît ? demande une voix grave à côté de moi.

Je me retourne. Non, on ne se connaît pas, mais moi je sais de qui il s'agit. C'est un des joueurs de l'équipe de football américain.

— Gary, c'est ça ?

— Oui, et toi c'est…

— Renley.

— Ah oui ! Je t'ai déjà croisée dans les couloirs. Chouette ambiance, non ?

Je hausse les épaules.

— Plutôt, oui.

— C'est vrai, c'est un peu nase… mais il y a de la bonne bière !

Quand il me voit porter le Dr. Pepper à ma bouche, il se rembrunit soudain et m'arrache ma canette. Ça me tape sur le système direct.

— Pourquoi tu bois ce truc ? Attends, je vais te chercher une bière.

Mais bien sûr. Je suis peut-être novice dans tout un tas de domaines, mais ce truc-là, je le connais : accepter une boisson déjà ouverte de la part d'un crétin dans une soirée, c'est absolument exclu. Non merci, mon gars !

Je tente de récupérer mon soda mais il le tient hors de ma portée.

— Je ne bois pas des masses d'alcool.

— Oh… allez ! Tu es là pour t'amuser, non ?

— Rends-moi ma canette.

— T'es sérieuse, toi ?

Soudain, une main saisit le poignet de Gary. Seth s'est levé. Il est nettement moins costaud que l'autre armoire à glace, mais il fait bien une tête de plus que lui.

— Eh, tête de nœud ! Arrête ça tout de suite.

Gary me rend mon soda sans me regarder, trop occuper à fixer son adversaire d'un air irrité.

— Ce ne sont pas tes affaires, Seth.

— Si. C'est moi qui l'ai amenée ici, alors ça me regarde un minimum. Je t'ai dit de la lâcher.

Gary marmonne une insulte dans sa barbe et s'éloigne à grands pas. Seth paraît soulagé.

— Ça va ?

Je souris.

— Oui. Mon Dr. Pepper a failli y passer, mais tout est bien qui finit bien.

— Hmm…

Je me rassieds pour déguster mon soda – garanti sans GHB, Dieu merci –, les yeux rivés sur le feu, tandis que les filles continuent à faire défiler mes tutos sur leurs portables. Seth ne s'éloigne pas à moins de trois mètres de tout le reste de la soirée.

TUTO N°14 : TAPER VIOLEMMENT SUR LES NERFS DE VOTRE MEILLEURE AMIE

Quand Seth me dépose devant chez moi à plus d'1 heure du matin, j'aperçois Drew assis sous le porche de sa maison. Il lève les yeux quand nous nous garons et, dans la faible lumière du perron, je le vois froncer les sourcils. Il me fait un petit signe, alors, quand Seth et Taylor s'éloignent en voiture, je décide d'aller le rejoindre.

— Rendez-vous coquin ? me demande-t-il, taquin.

— Pas tout à fait.

Ce n'est pas la réponse qu'il attendait – je n'ai pas nié assez fermement à son goût.

— J'étais à une soirée, expliqué-je.

— Ah… C'est sur ta liste de tutos à poster ?

— Non. Seth m'avait invitée, alors je me suis dit… pourquoi pas.

Son visage se rembrunit un peu. Il n'a pas l'air en colère, juste… En fait, son expression est difficile à cerner.

— Seth… Tu veux dire Seth Levine ?

— Oui. Enfin, il n'y a rien entre nous, attention. Il a une copine depuis des éternités, donc…

Il acquiesce, mais son regard est posé sur le paysage nocturne, par-dessus mon épaule, comme si je n'étais pas là.

— Oui. Taylor, c'est ça ? marmonne-t-il.

Il n'écoute ma réponse que d'une oreille. Je décide de changer de sujet.

— Alors, qu'est-ce que tu fais dehors, à 1 heure du matin ?

Il met un long moment à répondre mais finit par lever le pouce vers la chambre de sa mère. Je tends l'oreille : les vocalises d'une voix suraiguë s'élèvent à intervalles réguliers depuis l'étage.

— Ah…

— Ouais, vachement facile de dormir.

Je m'assieds près de lui.

— Tu veux venir chez moi ?

Il se met à rire.

— Je crois que j'abuse déjà assez avec ton père quand tu dors chez moi.

— Oh ne t'arrête pas à ça ! Il est inoffensif.

— Pas si sûr. C'est souvent les gentils qui ne disent rien dont il faut se méfier le plus.

Avec un sourire, je lui donne un petit coup d'épaule.

— En tout cas, tu peux venir si tu veux.

— Non, ça va aller, merci. Ils auront fini dans vingt minutes de toute façon.

— Dans ce cas, inutile de rester là à les écouter en silence.

Je sors mon smartphone dont je lui tends un écouteur avant d'appuyer sur « LECTURE ».

— Argh, mais c'est horrible, ce truc ! grimace-t-il avec un grand sourire.

— Arrête un peu, tu adores.

La tête inclinée sur le côté, il écoute la musique quelques instants, puis, faussement résigné :

— J'avoue.

Nous restons assis là un petit moment, appuyés contre la porte, à écouter un morceau aussi navrant que génial, puis un autre. Au bout de deux chansons, je sens son petit doigt effleurer le côté de mon pouce, puis glisser subrepticement par-dessus. Drew me jette un regard furtif mais baisse les yeux en constatant que je le fixe aussi.

Lentement, il entrelace ses autres doigts aux miens et, du pouce, se met à décrire des cercles sur mon poignet. Je ne l'arrête pas, même si l'idée de la main de Drew dans la mienne est presque plus terrifiante que celle de sa langue dans ma bouche.

Nous partageons écouteurs et chaleur de nos mains une vingtaine de minutes, jusqu'à ce qu'il me lâche.

— Bon, je… je vais rentrer. Ils ont fini. Donc euh… Merci d'être restée avec moi.

Il se comporte de façon étrange. Peut-être à cause de Seth ?

— Pas de problème.

Il rentre et referme la porte derrière lui. Alors je rentre chez moi, car il ne m'a pas invitée à dormir sous son toit.

Je suis réveillée par un message d'April.

Tu t'es bien amusée, hier soir ?

Mon rythme cardiaque accélère. Je réponds d'un doigt tremblant.

Oui.

Tant mieux. Elle était sympa, cette soirée, alors ?

Je me pétrifie, les yeux fixés sur l'écran. Nouveau message.

Je sais que tu es allée au feu de joie. Merci pour l'invitation.

J'entends mon cœur tambouriner comme un dingue dans mes oreilles. Elle poursuit :

O.K., Seth y était. Donc tu n'as pas vraiment menti. Merci beaucoup, d'ailleurs.

Désolée… Je n'aurais pas dû aller là-bas avec un mec alors qu'on avait rendez-vous toutes les deux. C'est juste que c'était prévu de longue date…

Je me sens mal de lui mentir encore une fois.

Mais bien sûr.

Elle commence à m'énerver. D'accord, elle a raison, je lui mens, mais ce qui m'agace, c'est qu'elle ne m'accorde même pas le bénéfice du doute. (O.K., c'est sans doute un peu tordu, ça.)

D'accord, crois ce que tu veux.

Elle ne répond pas pendant au moins cinq minutes et je commence à me sentir coupable, alors j'écris :

Je suis vraiment désolée.

Au bout d'une autre minute, elle envoie :

O.K.

Alors, on se voit ce soir ?

O.K. ! écrit-elle. Puis, quelques secondes plus tard :

Ah non, attends… J'avais une soirée avec Cash. Vraiment désolée.

Je repose violemment mon portable sur mon lit, croise les bras et me mets à tourner sur ma chaise de bureau. Comment a-t-elle su, au fait ? Question bête.

C'était une énorme soirée. Des tonnes de gens ont posté des photos sur les réseaux sociaux, et au moins une centaine de personnes aurait pu lui vendre la mèche.

C'est vraiment ridicule. J'ai bu un pauvre Dr. Pepper, un énorme crétin a tenté une approche plus que limite et j'éprouve une attirance manifestement non réciproque pour un garçon qui me trimbale avec sa copine dans sa voiture. Échanger tout ça contre une April en rogne, c'était vraiment une arnaque. J'ai vachement gagné au change.

Quelques minutes plus tard, je reçois un autre message que je me refuse dans un premier temps à regarder, mais mes trente secondes de résistance m'épuisent. Je finis donc par céder. Je me calme illico quand je m'aperçois que c'est Drew.

Tu as du temps, aujourd'hui ?

Ouaip ! Libre comme l'air.

On va à l'endroit de d'habitude ? Travailler sur tes tutos ?

Ça me semble une excellente idée. Bien plus qu'elle ne devrait.

Je suis là dans cinq minutes.

TUTO N°15 :
FAIRE UNE ÉNORME BÊTISE

Sitôt mes cheveux attachés sans prendre la peine de les brosser, j'enfile soutien-gorge, T-shirt, pantalon de fitness et veste légère. Vu mon humeur, c'est le plus élégant que je puisse faire aujourd'hui. Et puis je sais que Drew s'en fiche.

Je dévale notre perron pour aller taper doucement à sa fenêtre.

— Tu viens ?

Il l'entrouvre avec un sourire machiavélique.

— Bien sûr que oui. Je ne voudrais pas décevoir tes abonnés.

Il enjambe le rebord de la fenêtre (c'est le meilleur moyen de sortir sans avoir à croiser sa mère), la referme sans bruit derrière lui et sort ses clés. Je monte dans la voiture, surprise d'arriver à me montrer aussi calme étant donné ce qui se prépare. Il démarre son tas de ferraille.

Quand nous approchons de notre coin secret, il me jette un regard entendu.

— Bravo, au fait. Tu as pensé à ta veste, cette fois.

— Il fallait bien ! Comme tu ne m'aurais jamais prêté la tienne…

— Pas moyen, sourit-il. La galanterie, c'est pas mon truc.

Une fois garés devant le magnifique point de vue, nous sortons humer une brise fraîche aux odeurs d'automne. Soudain, je suis contente qu'il ne m'ait pas invitée là le soir, ou à la tombée du jour, bref à n'importe quel moment idéal pour un moment romantique. À cette heure-ci, il fait encore assez chaud pour que j'aie à peine besoin de ma veste.

Drew récupère sa fameuse couverture pelucheuse sur la banquette arrière. Je l'ai utilisée avant-hier seulement, mais j'ai l'impression que c'était il y a une éternité.

— Le retour de la couverture toute rapée… Quand je pense… Beurk !

Il lève les yeux au ciel, la roule sous son bras et pose une main au creux de mes reins. C'est un geste intime, presque possessif, mais nous ne nous sommes jamais demandé où nous avions le droit de nous toucher ou non.

Nous nous éloignons un peu de la voiture pour nous enfoncer sous le couvert des arbres. Là, à condition de prendre le temps de le chercher, un petit bosquet parfait attend les visiteurs : plat, ombragé, le sol couvert de feuilles ramollies par une rosée perpétuelle. Même en automne, l'endroit est toujours légèrement humide, ce qui permet d'atténuer un peu le froid. Tous les deux, on est venus ici au moins un milliard de fois.

Il me tend le carré de tissu épais.

— Je reviens, j'ai oublié un truc.

Les feuilles craquent sous ses pas quand il retourne au pas de course vers la voiture. Une fois la couverture étalée, je m'assieds dessus, tranquillement adossée au peuplier le plus proche, sans penser à quoi que ce soit. L'endroit est trop paisible : je refuse de laisser la folie ambiante de mon étrange existence le contaminer.

Drew revient quelques instants plus tard – il faut dire qu'il court vite. Il franchit la barrière des fourrés, armé de deux thermos que je n'avais pas remarqués dans la voiture. Je ne résiste pas à l'envie de le taquiner :

— Oh, qu'est-ce qu'il y a là-dedans ? Un truc qui va m'ôter toute inhibition ?

Il s'installe à côté de moi et m'en tend un.

— Qui sait ? répond-il, les yeux étincelants. Non, Madame, je n'ai pas besoin de substances illicites pour parvenir à ce résultat ! Je vous rappelle que c'est vous qui m'avez approché pour mon expertise, franchement et sans détour. Je suis irrésistible, voilà tout !

Je lui tire la langue avant de porter le thermos à mes lèvres. La bouteille de liquide encore fumant me réchauffe agréablement les mains. J'y goûte, un peu méfiante, et… je sais qu'il n'y a pas de quoi en faire un fromage, mais j'en sauterais presque de joie.

— Du cidre chaud ! Mais quelle bonne idée !

Je bois une deuxième gorgée. Bien sûr, zéro substances illicites, mais je remarque tout de même un petit truc en plus…

— Additionné d'un petit filet de caramel que j'ai fait fondre moi-même au micro-onde, s'il te plaît !

Je glousse, ravie. Le cidre, pour moi, c'est une véritable drogue. Si Drew comptait poursuivre ses leçons coquines ici, il a fait un très mauvais calcul. Le garçon capable de me convaincre de préférer sa bouche à ce pur délice n'est pas né. Nous buvons en silence pendant un moment, puis il repose son thermos.

— Bon…

— Bon quoi ?

Je ne détache ma bouche de la bouteille que le temps de prononcer ces deux petits mots.

— On s'y met ?

Je me mets à rire.

— Drew… Si ton but était de mettre ta langue dans ma bouche, tu n'aurais pas dû commencer par me donner un thermos entier de cidre au caramel. Très mauvais calcul.

— Ah bon ? Moi qui essayais de me montrer sympa… C'est pas souvent, en plus !

— Oh, mais tu marques des points, je te rassure, dis-je entre deux gorgées. Par contre, tu n'es pas près de m'embrasser, dommage pour toi !

Il ne répond rien mais, avec un petit sourire, il s'approche un peu de l'arbre auquel je suis appuyée. Installé en tailleur à quelques centimètres à peine de moi et me regarde boire, les yeux fixés sur mes lèvres et ma gorge.

Il attend que j'abaisse un tout petit peu le thermos entre deux rasades et, plus rapide que la lumière, il s'en empare d'un mouvement fluide et le pose sur l'herbe. Sans me laisser le temps de réagir, il place une main derrière ma tête pour m'attirer à lui et poser sa bouche sur la mienne.

Je pousse un petit cri de surprise. On dirait qu'il y pense depuis des jours : c'est un tel festival que, même si j'avais été tentée de trop réfléchir, je n'y serais pas arrivée. Il me tire en avant, me colle tout contre son corps. Une main toujours dans mes cheveux et l'autre au creux de mes reins, il n'a même pas besoin de m'inciter à écarter les lèvres, elles le font toutes seules.

De sa langue, il explore chaque centimètre carré de ma bouche, et cette fois, la sensation ne me paraît pas étrange, mais plutôt étourdissante. Et incroyablement agréable. Ses lèvres ont le goût du cidre, des épices, des pommes chaudes… c'est d'une perfection absolue. Les miennes épousent les siennes avec frénésie et je comprends soudain pourquoi tout le monde en fait tout un plat : embrasser quelqu'un, c'est magique.

Sans prévenir, il s'interrompt et se rassied en arrière pour me dévorer du regard. Il a l'air à la fois transporté, presque extatique, et tout simplement terrifié. Mais je n'ai pas envie de m'arrêter. Alors je me penche vers lui, submergée par toutes les sensations qui m'embrasent la peau et m'étranglent la gorge, et je l'embrasse à pleine bouche. J'empoigne sa veste qu'il retire aussitôt et abandonne sur la couverture. Mais je ne m'arrête pas là.

Mes mains trouvent leur chemin sous sa chemise, glissent sur son ventre, son torse. Il s'écarte une seconde, pantelant. Il tremble de tout son corps. Mais il m'embrasse à nouveau, avec tant de force que j'en ai le souffle coupé. Je lui retire sa chemise – à ce stade je donnerais n'importe quoi pour sentir sa peau contre la mienne. Sans prendre le temps de réfléchir à ce que je fais, je me retrouve au-dessus de lui. Je ne me rends pas compte un seul instant que c'est Drew, là, sous mes mains. Drew, avec qui je ne peux sortir sous aucun prétexte. Drew, qui a la capacité de me faire plus mal que n'importe quel autre être humain sur terre. Je sens son cœur battre sous mes paumes, je me noie dans la furie de ses baisers. Quand je comprends à côté de quoi je suis passée pendant des mois et des mois, je n'en reviens tout simplement pas.

D'une voix enrouée, il murmure quelque chose contre ma peau, presque un soupir. Il se retourne, et m'emporte avec lui, pour se placer sur moi et me couvrir de baisers fiévreux, avides, comme si c'étaient les derniers de toute sa vie. Quand je sens ses paumes remonter le long de mon ventre, je ne m'écarte pas. Je n'ai qu'une seule envie : que ses doigts glissent plus haut.

Quand je me soulève juste assez pour me débarrasser de ma veste, il se recule, s'assied sur ses talons. Lentement, le regard interrogateur, il m'ôte mon T-shirt. Je pourrais l'arrêter à tout moment, si je le voulais. Mais je ne le fais pas. Et quand il passe la main dans mon dos pour détacher mon soutien-gorge, là aussi, je le laisse faire. Pire : s'il n'en avait pas pris l'initiative, je crois que je m'en serais chargée moi-même.

Quand je me rallonge sur la couverture, je sens chaque brindille, chaque feuille, de l'autre côté du tissu. J'ai la chair de poule sur tout le corps – un peu à cause du froid, un peu à cause du contact de la peau de Drew. Il reste assis là, à bout de souffle, à me contempler comme si j'étais la plus belle chose qui ait jamais existé. Tendre. Insatiable. Il m'embrasse de plus belle, et cette fois c'est d'une lenteur exquise. Cette nouvelle impression me prend tellement au dépourvu que je sens à peine l'une de ses mains approcher d'une partie de mon corps que ma chemise a toujours couverte jusque-là.

À peine. Mais quand quelque chose de dur m'effleure la jambe et que son autre main commence à triturer la ceinture de mon pantalon, là, je ne peux pas ne pas le remarquer. Et lorsqu'il souffle mon nom puis se penche pour reprendre mes lèvres, je suis soudain pétrifiée de terreur. Parce que même si je le désire de tout mon être, je ne peux pas faire ça. Je ne peux pas. Ma bouche s'ouvre sous la sienne pour souffler :

— Drew…

— Quoi ? chuchote-t-il en s'écartant.

— Je… je ne peux pas. On ne peut pas.

Il prend une grande inspiration, les yeux écarquillés, comme s'il me voyait vraiment pour la première fois depuis qu'il a commencé à m'embrasser. Son regard, jusque-là comme voilé, redevient perçant.

— Renley… Tu… Je suis désolé.

Il recule précipitamment, les mains tremblantes, horriblement mal à l'aise.

— Je n'aurais pas dû… Je… Nom d'un chien ! Je suis désolé…

Je me redresse.

— Drew… Arrête.

Il se tait, le regard fou. J'insiste :

— C'est moi qui ai retiré ta chemise, tu te rappelles ?

Il se détend imperceptiblement, et je pousse mon avantage.

— Je suis aussi responsable que toi, Drew. Mais… Je ne peux pas faire ça, désolée.

— Moi non plus, je…

En entendant ces mots, je recule comme s'il venait de me gifler. Aussitôt, une panique absolue se lit sur ses traits.

— Non, tu m'as mal compris. Je donnerais ma vie pour… Mais seulement si tu es sûre de ton choix. Je n'ai pas envie d'être… un simple remords pour toi.

— Et moi, je… je ne veux pas être une nouvelle marque à ton tableau de chasse.

Une expression que je ne lui ai jamais vue passe fugitivement sur son visage. Trouble, colère, tristesse infinie se mêlent au fond de son regard. Je donnerais n'importe quoi pour retirer ce que je viens de dire.

Il pose une main sur ma joue.

— Écoute… fait-il d'une voix rauque. Quoi qu'il arrive, tu seras toujours la personne que j'aime le plus au monde, tu ne pourras jamais être autre chose à mes yeux. Tu es… tout pour moi. Alors… Une simple marque à mon tableau de chasse ?

Il se rassied sur les talons, se passe plusieurs fois une main dans les cheveux, incrédule.

— Drew, ce n'est pas ce que…

— Laisse tomber, ce n'est rien.

Un silence tendu s'installe entre nous quelques secondes, puis Drew commence à enfiler sa chemise et sa veste.

— Oui, on devrait y aller, dis-je.

— C'est sûr. Il va juste me falloir… euh… quelques instants.

Il se tait, gêné, et baisse les yeux sur son pantalon.

— Oh…

Je me retourne, rouge pivoine.

— Mais si tu ne remets pas ton T-shirt, on n'est pas sortis de l'auberge.

Je suis morte de honte. J'avais oublié que j'étais à moitié nue. Complètement désarçonnée, je me rhabille en deux temps trois mouvements et j'attrape le thermos de cidre que je bois pour me donner une contenance. Au bout de ce qui me semble une éternité, il se relève.

— Allons-y.

Nous montons dans la voiture sans prononcer un mot et laissons derrière nous le petit bosquet qui est notre spot depuis des années maintenant.

Je suis littéralement paralysée par la gêne. Non seulement Drew m'a vue à moitié nue, mais il m'a touchée à des endroits que personne à part moi n'avait jamais effleurés… Je ne sais plus quoi penser.

— Dis-moi que tu ne m'en veux pas, le supplié-je.

— Je ne t'en veux pas, lâche-t-il entre ses dents serrées. Mais… Une marque à mon tableau de chasse ? Tu crois vraiment un truc pareil ?

— Ce n'est pas ce que je voulais dire. Je sais bien que tu ne me traiterais pas comme ça…

Il freine d'un seul coup, sort du chemin de terre pour se garer sur le bas-côté et coupe le contact d'un geste sec.

— Te traiter comment, Renley ? Qu'est-ce que tu crois que je fais à ces filles, exactement ?

Je bégaie une série de syllabes sans suite.

— Je ne leur raconte pas de salades, figure-toi ! jette-t-il. Elles savent très bien ce que je suis prêt à leur donner. Je ne promets pas de les aimer toute ma vie durant, tout ça pour les foutre dehors cinq minutes après avoir fini de m'envoyer en l'air. Et je n'en ai jamais trompé une seule, je te signale. Jamais. Je ne sais pas pourquoi tu crois que je suis un monstre…

— Mais non…

— Ni pourquoi tu penses qu'il ne faut surtout pas sortir avec moi, que je n'en vaux pas la peine. Mais je ne suis pas ton père. Ni ta déserteuse de mère. Jamais je ne te ferais un coup pareil. Tout ce que je promets à ces filles, c'est une nuit, une seule. Et je la leur donne. Toi, je te promets que je ne cesserai jamais de t'aimer. Et c'est ce que je ferai. Je n'ai jamais brisé une promesse, quelle qu'elle soit.

Je ne parviens même pas à le regarder quand je chuchote :

— Pardonne-moi, Drew. Je suis désolée.

Il tente de redémarrer le moteur, en vain, une fois, deux fois, trois fois. Il renonce, s'adosse à son siège et déclare d'un ton sec.

— Le moteur est noyé. Ça arrive de temps en temps. Il faut attendre une petite demi-heure et elle se remettra en marche comme par magie.

— Je suis désolée, Drew.

Il tourne la tête vers moi.

— Je ne veux pas que tu sois désolée. Je veux que tu saches ce que tu vaux.

Je ravale un sanglot et les larmes me montent aux yeux. Il recule son siège le plus possible et me laisse me glisser sur ses genoux, jeter les bras autour de son cou et pleurer sur son épaule.

TUTO N°16 : SE DÉBARRASSER D'UNE DÉPENDANCE AU CIDRE CHAUD

Quand je clique sur « PUBLIER », une sensation étrange m'envahit. C'est comme si j'étais en train d'exposer un versant intime de moi, une facette que je n'ai envie de dévoiler à personne – et encore moins à tout le cyberespace. Mais il le faut. Ce tuto est indubitablement l'un des plus attendu, il va faire un bien fou à mes chiffres de fréquentation, peut-être même me permettre de gagner quelques sous pour aller à New York. Donc, cachée derrière l'identité de SweetLifeCoach, je me résous à expliquer au monde entier, en modeste experte que je suis, comment embrasser comme une déesse. C'est très personnel, trop subjectif peut-être, mais ça sonne aussi absolument vrai, car ça l'est.

Je pense à Drew sans arrêt, ce qui me frustre au plus haut point. Ça fait des jours et des jours déjà que nous nous sommes embrassés. Je donnerais cher pour cesser de penser à lui. De m'immerger dans le souvenir résiduel de ses baisers, de me laisser aller à revivre la sensation de ses mains sur mon corps. Rien que rester allongée là, dans le silence, à y repenser, prolonge mon addiction. Et rien n'a changé : envisager sérieusement une relation avec Drew serait une énorme erreur, j'ai des sueurs froides quand j'y pense.

Chaque fois que je me replonge dans ces instants délicieux, j'ai pleinement conscience que ça ne peut pas durer. Avec le Drew d'aujourd'hui, tel qu'il se comporte, avec ce qu'il y a entre nous, je pourrais, bien sûr. Mais si je m'autorise à tomber amoureuse de lui, je sais qu'il finira par s'ennuyer avec moi. Et par s'en aller. Et si Drew s'en va, si lui aussi s'en va, je ne le supporterai pas.

Je peux supporter de ne plus jamais l'embrasser, j'en suis presque sûre. Mais si Drew n'est pas là pour me serrer dans ses bras quand je pleure comme un veau le départ de ma mère, la trahison de mon père, le dégoût que m'inspire Stacey – je le supporterai pas. En fait, si Drew n'est pas là, je ne le supporterai pas, point à la ligne. Je ne veux pas penser à ce qui se passerait si je le perdais, lui aussi. Et ça n'arrivera pas. Parce que ce n'est pas à lui que j'envoie un message. C'est à un autre.

Tu t'en sors avec la trigo ?

Une vraie calamité, répond Seth.

Et il a du vocabulaire, en plus ! Je lui demande :

Tu veux un coup de main ?

Avec plaisir ! Je passe chez toi ?

Dans 30 minutes, ça te va ?

Vendu !

Je passe la demi-heure suivante à me préparer et à m'assurer que tout est parfait. Tiens, mes racines commencent à se voir… April acceptera-t-elle de les reprendre ou vais-je devoir me débrouiller toute seule ? Je ne vais quand même pas aller chez le coiffeur ! Je ne suis peut-être pas vraiment une experte dans tous les domaines comme je le prétends mais, tout de même, j'ai des principes.

Je m'apprête à envoyer un message à April, mais je m'arrête net. Que faire si elle veut venir maintenant ? « Impossible, je dois voir Seth ! » On a à peine parlé depuis que je lui ai posé un lapin, je n'ai aucune envie d'aggraver la situation. Alors, avec une grimace, je repose mon téléphone et je prends mon mal en patience.

Quand la sonnette finit par retentir, c'est mon père qui va ouvrir. Je reste à mon bureau pour terminer mon maquillage. Juste au moment où je finis mon œil de chat (technique que je maîtrise à la perfection à présent, soit dit en passant), mon visiteur frappe doucement à la porte de ma chambre.

— Entre, dis-je.

Je me retourne, parfaitement consciente de la façon dont la jupe minuscule que j'ai choisie met mes jambes en valeur. Et vu la manière dont Seth les détaille de haut en bas, je crois bien qu'il est d'accord.

Il dépose son sac à dos sur le sol et s'assied à côté.

— Tu veux boire quelque chose ? J'ai du…

D'une pochette, il tire deux Dr. Pepper. Je souris. Il doit croire que, pour moi, cette boisson est une véritable drogue… Remarque, comme j'en ai apporté une canette à quasiment chaque cours de cuisine, au lycée, ce ne serait pas étonnant.

Une fois installée sur le tapis en face de lui (avec moult précautions histoire d'éviter toute catastrophe diplomatique, je suis en jupe, après tout), je porte la boisson à mes lèvres. *Décidément… Ça ne vaut pas un bon thermos de cidre chaud !* Mais je chasse tout de suite de ma tête cette pensée : elle est beaucoup trop dangereuse. Non, je n'ai qu'une envie, celle de déguster un bon Dr. Pepper. J'ai bu assez de ce satané cidre, l'autre jour, pour au moins un an. *Tu parles, ma vieille, arrête d'en faire des tonnes !*

— Merci !

Je sirote une autre gorgée avec gourmandise, parce que malgré la fringale irrésistible de pommes relevées d'épices qui m'a saisie, ce soda n'a rien, absolument rien, à lui envier.

— Pas de souci, répond-il.

Quand il étale sur le parquet son manuel de trigo et son cahier, je lui demande :

— Alors, quel est le programme ?

— J'ai du mal avec ce chapitre.

— Tu m'en diras tant ! Bon, c'est vrai : la terminologie, en trigo, ce n'est pas le plus passionnant. Écoute, comme tu mélanges un peu tout, je te propose d'abord de repartir sur les bases.

Il baisse des yeux inexpressifs sur ses feuilles, tandis que je me lance dans une longue et pénible explication sur les sinus, les cosinus et les tangentes.

Au bout d'un long moment, il finit par poser sur moi un regard presque effaré.

— En gros, ce sont juste des formules que tu dois mémoriser, rien de plus. C'est comme en cuisine : tu sais que trois cuillères à café, ça fait une cuillère à soupe. Tu n'as pas à y réfléchir, ni à le comprendre… juste à l'apprendre par cœur.

— Ça, je sais faire.

Nous passons ensuite une quinzaine de minutes à examiner les différents côtés d'un triangle, leur emplacement et les termes qui s'y rapportent. C'est un triangle : il n'y en a que trois. Qu'on soit obligés d'y passer autant de temps me laisse sans voix. Pas de doute, en math, il nage complètement.

À sa décharge, il n'a pas bronché quand j'ai demandé ce qu'il entendait par « chapeau » d'un champignon, le jour de ma première leçon. Donc admettons.

Après avoir tourné en rond (ha ha !) pendant un bon quart d'heure, donc, Seth jette son cahier sur le tapis, ce qui me fait sursauter.

— Mon cerveau est hors service ! gémit-il.

— Difficile de te dire le contraire…

Il me fait une grimace.

— Ça se fait, de dénigrer son élève, quand on est prof particulier ? C'est pourtant pas génial pour l'estime de soi, si ?

— Je m'attends à une vengeance en bonne et due forme au prochain cours de cuisine.

— Et tu l'auras ! sourit-il. Bon, tu veux sortir un peu ?

Il se lève et je l'imite, mais sur le seuil de ma chambre, j'hésite.

— Je ne sais pas trop.

Seth affiche un air perplexe, alors je me force à poursuivre.

— C'est juste que… et ça va être un peu gênant mais… tu as une copine.

Son visage s'éclaire et il secoue la tête.

— Ce n'est pas tout à fait exact.

Et… Envoyez les violons. Mon cœur monte aussitôt se loger dans ma gorge. Malgré la présence d'un organe vital dans ma trachée, je parviens à croasser :

— Ah bon ?

— Non. On a rompu il y a plusieurs jours déjà. La nuit du feu de joie, en fait, après que je t'ai déposée.

— Ah…

— Pour être franc, je ne serais pas ici si on ne s'était pas séparés.

Je reste pétrifiée sur place. Il n'y a pas cent mille façons différentes d'interpréter cette phrase.

— Quelle différence ça aurait fait ?

— Oh allez… fait-il.

Rien. Mon cerveau ne me procure pas le moindre mot à répondre à ça. Pas une syllabe, le vide intersidéral.

— Tu vas me forcer à le dire ? insiste-t-il.

C'est le blanc total. Comme si on m'avait lobotomisée.

— Je t'aime bien, Renley.

— Ah bon ? finis-je par articuler, parce qu'il faut bien que je sorte quelque chose au bout d'un moment.

— Mais ce n'est pas le motif de notre rupture, je te le promets. Avec Taylor, c'était fini depuis une éternité, tu n'as pas à te sentir coupable. Ou à te mettre la pression : je ne m'attends pas à ce que tu sortes avec moi, tu ne me dois rien du tout. Elle et moi, on aurait rompu ce soir-là de toute façon, que je t'aie rencontrée ou pas.

C'est le chambard absolu dans ma tête, une surcharge soudaine d'informations que je ne sais absolument pas comment organiser. Je n'en ai pas la moindre idée. Pas la moindre.

— Je ne suis pas non plus en train de te demander un rencard les yeux dans les yeux, si ça peut te rassurer. J'ai faim et je me suis dit que tu voudrais peut-être m'accompagner, c'est tout.

O.K., je note : à ce stade, on peut ajouter « légère gêne » à la liste grandissante de mes émotions, pour la plupart contradictoires.

— Hein ? Euh… Oui. Allons manger un morceau.

Il laisse ses affaires sur le sol de ma chambre et nous descendons l'escalier. Dans le couloir, je croise mon père, qui affiche une joie béate. Il est sans aucun doute ravi que je me sois liée d'amitié avec un beau garçon qui,

Dieu soit loué, n'est pas Drew. Je ne sais pas pourquoi ça me fait grincer des dents à ce point, mais je fais comme si je n'avais rien vu et je traverse la pelouse à grand pas pour grimper dans la voiture de Seth.

Le parfum sucré a disparu, remplacé par une odeur d'agrume, une senteur exotique.

— Seth ! Ne me dis pas que... tu es encore allé hanter les allées chez Sephora !

Il rit sous cape.

— Mais si. J'ai un stock de lotion à la vanille planqué dans ma chambre, maintenant.

— Beurk !

— Non, sérieusement, le parfum de Taylor jusque dans ma voiture, c'était trop. Les bonbons, ça va deux minutes. Donc oui, je plaide coupable, mais pour cette seule et unique fois. (Il sourit en m'assénant le coup de grâce :) Peut-être pas la dernière, d'ailleurs, ce sont de chouettes magasins...

Je le gratifie d'un regard moqueur. Nous ne tardons pas à nous garer devant un de ces restaurants de burgers un peu vintage, où les serveuses viennent apporter les commandes en rollers sur le parking.

Nous contemplons le menu côte à côte en silence, puis je me décide pour un double cheeseburger, des onion rings et un milkshake au chocolat. Il me reste du temps avant de devoir compter les calories pour m'éviter la crise cardiaque.

Notre commande ne met pas longtemps à arriver – un des avantages de ces endroits intermédiaires entre le fast-food et le vrai restaurant. Quand la serveuse s'approche de la fenêtre de Seth, il lui passe assez d'argent pour régler nos deux repas. Je reste donc le bras tendu, à agiter ma liasse de billets.

— Non, c'est pour moi, dit-il.

La serveuse se le tient pour dit. Alors, avant de croquer dans mon burger, je dépose ma part dans la main de Seth en expliquant :

— Tu n'as pas à m'inviter, je te rappelle. Ceci n'est pas un rencard.

Il me rend la somme sans la moindre hésitation.

— Sérieusement, ce n'est pas grand-chose.

— Seth… Prends cet argent. Si tu me demandes vraiment de sortir avec toi un soir, je te laisserai payer avec plaisir. Mais aujourd'hui, non.

Avec un soupir, il finit par s'exécuter. Mais avant de céder à ma demande, il a refermé un bref instant sa main sur la mienne. Difficile de savoir s'il l'a fait exprès, car il me lâche assez vite, mais ma peau brûlante a son petit avis sur la question.

— Viens, on est trop à l'étroit ici !

Il ouvre sa portière et je l'imite. Le parking est désert, le jour commence à décliner. Seth entreprend de monter sur le capot. Par réflexe, j'attrape la main qu'il me tend pour me hisser à ses côtés, mais je m'interromps tout de suite. Je n'ai pas envie de m'installer là pour déguster un burger en discutant de tout et n'importe quoi. S'asseoir sur le capot d'une voiture pour refaire le monde, c'est notre truc, à Drew et à moi – enfin, autant que ça puisse être le truc de quelqu'un, en tout cas c'est l'impression que j'en ai. Je me demande bien d'où vient l'étrange sentiment de culpabilité qui m'étreint.

— Je crois que je vais rester en bas.

Nonchalamment, il s'attaque à ses frites.

— Comme tu veux. Alors, à supposer que je te demande de sortir avec moi, qu'est-ce que tu répondrais ?

Appuyée contre la voiture, je savoure mon milkshake histoire de me donner le temps de réfléchir. Sauf que cette gorgée fatale contient une pépite de chocolat – absolument délicieux, me direz-vous, sauf quand on l'aspire par mégarde par la trachée. Je m'étrangle et je postillonne, les larmes aux yeux, puis j'ai un véritable haut-le-cœur.

— Ouh là, à ce point ? s'étonne-t-il. Bon, considère que je n'ai rien dit, alors.

— Non, parviens-je à articuler à grand-peine. J'ai avalé… de travers…

— Ah ! Ça va ?

Il me tape dans le dos. Je tousse encore un peu pour faire bonne mesure (hyper sexy… décidément, j'ai un sixième sens quand il s'agit de déployer toute la force de mon charme devant un garçon), dépose le milkshake incriminé sur le capot de la caisse et parviens enfin à me redresser, la respiration encore sifflante.

— Ça va, merci…

Je m'accorde un instant pour reprendre mon souffle avant d'ajouter :

— Je répondrais oui.

Un sourire émerveillé s'épanouit lentement sur son visage.

— C'est vrai ?

— Oui. À supposer que tu me le demandes.

— Bon bah… j'y réfléchis, alors.

— Tu devrais, oui.

Il se tait un instant – j'en ai des frissons – avant de reprendre :

— Dis-moi, Renley… Tu as quelque chose de prévu samedi soir ?

L'air faussement innocent, je me fends d'un battement de paupières ultra exagéré.

— Non. Pourquoi cette question ?

— Parce que je connais un endroit génial où j'aimerais beaucoup t'emmener.

Cette fois, je peux utiliser la phrase fatidique sans rougir.

— Les yeux dans les yeux, alors ? Marché conclu !

TUTO N°17 : SE FAIRE OFFRIR LE BLOUSON D'UN GARÇON

Seth arrive vers 19 heures, ses cheveux bruns aux boucles parfaites subtilement rehaussés de gel – il me faudrait cinq heures de travail pour obtenir un tel résultat. T-shirt col tunisien surmonté d'une chemise bleue à manches courtes, blouson de son équipe. Il est à tomber. Pour changer.

— Tu es très jolie, me dit-il.

Je rougis. J'ai mis une éternité à trouver ce look, à dénicher le jean parfait, le haut qui épouse le mieux mes formes. Pour moi, ce compliment est aussi délectable que dépaysant.

J'entends mon père s'approcher derrière moi.

— Seth, dit-il.

— Bonsoir, monsieur.

Il a les yeux brillants, un énorme sourire qui lui mange la moitié du visage, bref la mine de quelqu'un qui vient de gagner au loto. Pas difficile de deviner qu'il est encore complètement sous le charme de Seth, le beau gosse à la tête de gendre idéal. Mon père n'en revient pas de l'aubaine, je crois. À la réflexion, je ne peux pas lui en vouloir, je suis un peu dans le même état d'esprit.

— Je compte sur toi pour ramener Renley avant minuit, bien sûr, déclare le patriarche de la famille Eisler.

Je m'efforce de ne pas pouffer ostensiblement. Il n'oserait pas lever le petit doigt même si je rentrais à 5 heures du matin, mais Seth, qui n'en a pas la moindre idée, se contente de sourire d'un air rassurant et de lui serrer la main.

— C'est noté. Tu es prête ?

— Oui.

Une fois dans l'allée, je sautille presque au lieu de marcher.

— Alors, quelle destination ? dis-je lorsqu'il démarre la voiture.

— Je me suis dit qu'on pourrait aller au festival d'automne qui se tient au centre-ville.

— Bonne idée…

Les rues défilent, et je me rends compte que je suis sur des charbons ardents. J'ai du mal à le croire : une soirée romantique à la fête foraine avec Seth Levine ! Voilà qui a le potentiel de devenir le meilleur samedi soir de toute ma courte existence.

Aussitôt garé sur une petite place, il m'ouvre la portière, chose que Drew ne pense jamais à faire mais que je trouve extrêmement sexy. Drew… Mais on s'en fiche de savoir si Drew ferait ceci ou cela ! *C'est avec Seth que tu es ce soir au festival d'automne, ma vieille, secoue-toi un peu !*

Un air de polka nous parvient de la rue principale. Il est à peine audible à cette distance, mais je fréquente cette manifestation depuis des années : une fois au milieu de la foule, on ne s'entend plus parler. Un petit frisson me parcourt l'échine quand Seth glisse sa main dans la mienne.

— C'est ton genre de musique ?

Ma question farfelue le prend au dépourvu.

— Quoi ?

— Tu trouves à redire à tout ce que j'écoute à peu près, alors je me demande si ça, c'est plus ton style.

Il éclate de rire et m'entraîne vers les premiers stands.

— Hmm… Non. Désolé de te décevoir. Et ta pop-rap-dance-house me va très bien, je te signale, ajoute-t-il en me gratifiant d'un petit coup de coude. C'est un peu facile, mais ça se laisse écouter !

Verdict : un-zéro pour lui. Un petit sourire aux lèvres, je le suis jusqu'à un étal qui dégage une odeur absolument divine. Les yeux de Seth s'illuminent aussitôt.

— Des noix caramélisées ! s'exclame-t-il. J'adore ça, c'est un délice ! Tu y as déjà goûté ?

— Non, jamais.

Mais à en juger par ce parfum enivrant, c'est une grave erreur qu'il faut que je rectifie tout de suite.

— Vraiment ? s'étonne-il, soudain sérieux. Et moi qui croyais qu'on pouvait devenir amis…

— Surtout, ne renonce pas pour si peu. J'ai très envie de me laisser tenter !

Il fait l'acquisition d'un petit paquet de noix qu'il me dépose entre les mains. J'en croque une et – hmmmm… – il avait absolument raison. Accompagné de cidre chaud, ce serait un régal absolu. Pas de doute, manger est un de mes grands plaisirs dans la vie !

Nous nous engageons sur un trottoir encombré de stands plus colorés les uns que les autres, au milieu des cris des visiteurs et des marchands.

— Tu m'en lances une ? me demande Seth.

— Dans la bouche ? Arrête…

— Mais si, vas-y !

L'œil moqueur, il recule d'un pas sans me lâcher la main. Mon premier lancer, pourtant peu assuré, passe la barrière de ses lèvres. Avec un gloussement, je réitère l'exploit : il rattrape la deuxième comme un pro, sans la moindre difficulté.

— Impressionnant ! Ça doit être trèèès utile en société, comme talent…

Il sourit.

— O.K., jamais deux sans trois, dis-je.

Il me lâche, recule en se frottant les mains, très sérieux, comme s'il s'apprêtait à lancer une balle de base-ball.

— C'est parti ! dis-je. C'est le moment de vérité…

Je balance le bras en avant – bouche grande ouverte, il tente de se placer sous la noix. Mais la trajectoire est complètement ratée et l'objet l'atteint dans l'œil. Il saute en arrière en se frottant énergiquement la paupière.

— Aïe !

Je me précipite vers lui, sans pouvoir retenir un rire étouffé.

— C'était fait exprès, bien sûr ! explique-t-il. N'importe qui peut récupérer une noix avec sa bouche. Tu en connais beaucoup qui savent les rattraper avec leur cornée ?

— Tout à fait remarquable…

— Merci, merci, fait-il avec une petite révérence.

Il lui reste des traces de sucre autour de la paupière, qu'il ne cesse de cligner. Je suis un peu embarrassée (pas de doute, j'ai deux mains gauches !), mais soulagée qu'il ait tourné en dérision tout l'incident.

Il glisse de nouveau sa main dans la mienne – une chaleur agréable se répand dans tout mon bras –, et nous remontons ensemble la rue au son d'une musique qui ne s'améliore pas et au milieu d'effluves délicieux : noix grillées et épices, bière brune et beignets glacés. Le pouce de Seth, qui caresse mon poignet, me rend folle.

— Ton père a l'air sympa, dit-il.

— Oh, ça passe… La mauvaise nouvelle, c'est qu'il est amoureux de toi, je le crains.

— Je ne sais pas trop comment je dois le prendre.

— Il est content que je sorte avec un type bien.

— Oh non, un « type bien »… La honte.

— Mais non, tu rigoles ! C'est hyper bon pour toi !

— Mais pourquoi ton père est-il aussi content ? Tu sors avec des bad boys, d'habitude ? Attends, je peux me faire tatouer, si tu veux ! s'exclame-t-il, taquin. Ou me faire faire un piercing ?

Je fais semblant de vomir. Je n'ai pas envie d'entrer dans les détails. Plutôt mourir que de lui expliquer pourquoi mon père s'imagine que j'ai un faible pour les voyous – d'autant que c'est totalement faux, pour le coup.

— Eh bah non, les bad boys, ce n'est pas mon genre ! Les mecs qui risquent de m'ouvrir la lèvre avec leur piercing en me roulant une pelle ou de glisser de la drogue dans mon verre quand je ne fais pas attention, c'est pas pour moi, merci beaucoup.

— Donc Gary peut aller se rhabiller… répond-il, le regard noir.

— Exactement.

— Désolé pour l'autre jour, d'ailleurs. Je me sens mal, comme c'est moi qui t'avais invitée à cette soirée.

— Ne t'en fais pas, ce n'est qu'un abruti. Les gros lourds qui n'ont rien dans la tête, ce n'est vraiment pas mon truc. Moi, j'aime les types bien.

— Comme moi ?

J'accélère pour le dépasser, me retourne, croque une nouvelle noix et lui décoche un petit clin d'œil. Il éclate de rire. Soudain, j'aperçois sur notre droite un spectacle qui me ravit.

— Une grande roue ! Ça te dit ?

— O.K. !

Je presse encore le pas, impatiente d'intégrer la file d'attente. Soyons honnête, j'ai toujours voulu monter dans ce type d'attraction avec un beau gosse – et rester, si possible, coincée quelques minutes en haut.

Sitôt montés dans une nacelle ouverte, nous nous retrouvons à la merci du vent et du froid, mais ça vaut absolument le coup. Dans la nuit, les lueurs de la ville et de la fête foraine scintillent par milliers : ce serait un crime de manquer pareil spectacle.

La roue s'arrête à plusieurs reprises pour laisser monter d'autres clients, puis le tour commence. Nous nous élevons toujours plus haut et, plus le temps passe, plus le tableau sous mes yeux me semble magnifique.

— C'est magique ! dis-je, les yeux rivés sur le panorama en contrebas, où le tourbillon de lumières allume des reflets à la surface de la rivière toute proche.

— Oui, sacrée vue.

Quand il prononce ces mots, ce n'est pas la ville qu'il regarde, mais moi.

— Tais-toi…

En prononçant ces mots, je lui donne un petit coup de poing sur la poitrine. Je n'arrive pas à m'empêcher de sourire bêtement.

— Je parlais du paysage, se reprend-il, les yeux posés sur l'eau, un demi-sourire aux lèvres.

— C'est ça.

L'attraction tourne lentement. Je remarque que mon compagnon s'est légèrement rapproché de moi, un bras passé autour de mes épaules – il est doué, je ne me rappelle même pas l'avoir vu faire !

Au quatrième tour, la roue ralentit. Notre nacelle s'arrête non loin du sommet, où elle se balance mollement. Nous ne parlons pas, mais je sens le regard de Seth posé sur moi. Je me tourne vers lui et je prends soudain conscience qu'on est vraiment tout près l'un de l'autre, à présent.

Sa paume me malaxe doucement l'épaule. Je ne le quitte pas des yeux.

— J'ai très envie de t'embrasser… souffle-t-il à voix basse.

J'ai aussitôt les mains moites. Muette comme une carpe, j'acquiesce, et il se penche vers moi. Ses yeux se ferment, puis il pose ses lèvres sur les miennes, lentement, avec douceur, en décrivant de petits cercles du bout des doigts sur mon bras. Des frissons se répandent dans tout mon corps, partout où il me touche.

Il finit par reculer, car le tour est presque terminé. Même si l'air s'est nettement rafraîchi, je dois bien reconnaître que j'ai chaud.

Une fois de retour sur la terre ferme, nous nous éloignons main dans la main. Nos bras oscillent légèrement au rythme de nos pas.

À mesure que la lumière décline, la nuit devient glaciale. Je me mets à frissonner : la chaleur de son baiser commence à s'estomper. Comme d'habitude, je regrette de ne pas avoir emporté une veste plus épaisse. Dès qu'il remarque mes tremblements, Seth ôte son manteau pour m'en envelopper les épaules. Je murmure un timide « merci ».

Nous passons le reste de la soirée à papoter, déguster des spécialités locales et nous faire un smack de temps à autre, jusqu'à ce qu'il regarde l'heure sur son téléphone.

— Il va falloir rentrer.

— O.K. Enfin, au fond mon père s'en fiche, mais si tu insistes…

— Je préfère. Je ne voudrais pas le décevoir.

Je pourrais lui dire qu'il n'a rien à craindre de ce côté-là – mon père ignore ce que signifie le mot « déception » –, mais je me tais et je le suis jusqu'à sa voiture. Quand il se gare devant chez moi à 11 h 55 pile, je m'aperçois que je n'ai pas la moindre envie de sortir du véhicule. Il me raccompagne jusqu'à la porte et je ne lui lâche la main que pour lui rendre son manteau.

— Non, garde-le.

J'y jette un regard plus attentif. C'est le blouson de son équipe, celui qu'un joueur offrait à sa petite amie, dans les années 50, quand il était dans une relation sérieuse. Ça se fait toujours, mais c'est bien la première fois qu'on me le propose. Tout à coup, je m'imagine en jupe évasée et chemisier rétro, et j'éclate de rire.

— Mais que vois-je ! On se croirait au siècle dernier… Serais-tu en train de me faire une proposition indécente ? Je peux vraiment le garder ? dis-je avec mon meilleur accent de l'époque.

Il se frotte la nuque, tout rougissant, le sourire timide.

— Uniquement si tu acceptes de sortir avec moi, rétorque-t-il sur le même ton – son imitation est plus que passable.

Je plaisantais, mais il m'a prise au mot.

— Tu es sérieux ?

— Bien sûr.

Je considère la question un instant. Mais c'est tout vu : bien sûr que je veux sortir avec lui !

— O.K. C'est d'accord.

— Alors garde le blouson, conclut-il.

Je le resserre autour de mes épaules et m'adosse à la porte. Il pose la main contre le battant, à côté de mon visage, parfaitement conscient de ce qu'il fait, cette fois. Et il se penche pour m'embrasser. Ce coup-ci, il met un tout petit peu la langue – et je suis contente de ne pas être complètement prise de court. Enlacés sur le porche, nous prenons tout notre temps pour nous souhaiter bonne nuit, mais l'heure fatidique finit par sonner. Seth retourne lentement à sa voiture.

Sitôt la porte refermée derrière moi, je monte les escaliers quatre à quatre pour aller m'allonger sur mon lit. Deux heures entières s'écoulent avant que j'arrive à fermer l'œil.

TUTO N°18 : PRÉPARER UN TIRAMISU (ET NE PAS LE MANGER)

La semaine suivante passe comme dans un rêve. Du moins avec Seth. Il m'accompagne à tous mes cours, me tient la main dans les couloirs et me plaque régulièrement contre mon casier histoire de m'embrasser langoureusement. De temps en temps, quand j'aperçois Taylor et sa petite cours au lycée, je suis prise d'un accès de culpabilité. La pauvre voit très bien notre petit manège. Elle arbore l'œil voilé et l'aura de tristesse qui entoure souvent ceux qui se remettent mal d'une séparation. Et pour le coup, sa rupture est encore toute fraîche.

Les membres de sa clique me fusillent du regard quand elles me croisent, ce qui a tendance à m'agacer mais me fait aussi un peu peur. Certes, Taylor ne ferait pas de mal à une mouche, mais j'ai entendu dire qu'un jour Ash, la grande perche, avait mis de l'eau de javel dans le tube de mascara d'une rivale, qui avait atterri direct à l'hôpital. Bref, je n'ai pas vraiment hâte de voir Taylor passer de la tristesse à la colère…

Cela dit, c'est la vie au lycée… Ce sont des choses qui arrivent, alors je ne laisse pas ce sentiment de léger malaise assombrir la sensation fabuleuse qui m'habite du soir au matin : j'ai l'impression de marcher sur un petit nuage ! L'envie me démange de sortir mon téléphone pour appeler April. (Si je n'en parle à personne, je crois que je vais exploser.) Mais chaque fois, je m'abstiens. On ne s'est pas envoyé un texto depuis une éternité, alors revenir vers elle pour lui rebattre les oreilles du garçon qui a causé notre dispute ? Ce n'est peut-être pas la meilleure idée. Donc je garde tout pour moi. Heureusement, cette irritation passagère n'est rien à côté de l'exaltation que je ressens.

J'entre d'un pas bondissant en cours de maths, où on fait semblant de ne pas se voir, April et moi, depuis plusieurs jours déjà. Assise à côté de Cash, elle triture, comme souvent, son piercing à la lèvre. Ce geste me rappelle tellement de souvenirs que mes yeux commencent à picoter. Je me rends compte qu'elle me manque terriblement. Je m'assieds, hésitante.

— Salut.

Elle roule de grands yeux, tourne la tête vers moi d'un mouvement tout ce qu'il y a de plus artificiel et pose une main sur sa poitrine d'un geste théâtral. Je me recroqueville sur ma chaise.

— Moi ? fait-elle avec un battement de cils exagéré.

— Oui, toi. Ça va ?

— Qu'est-ce que j'apprends ? La fille prodigue est de retour ? déclame-t-elle d'une voix chargée d'agressivité.

Je suis soudain ravie qu'elle soit assise à côté de Cash et pas près de moi.

— Je voulais juste... Euh...

Elle hausse un sourcil moqueur.

— Ne t'inquiète pas, ma belle. C'est normal : difficile de se rappeler comment s'adresser aux gros ploucs une fois qu'on est tout en haut de l'échelle.

Elle me gratifie d'un sourire polaire. Mon estomac se tord convulsivement, j'ai soudain la gorge sèche. La honte embrase mon visage, tous mes membres – je rougis si fort que c'en est presque désagréable.

— April, écoute... je suis désolée de t'avoir laissée en plan comme ça...

Elle lève une main pour me faire taire. À l'évidence très mal à l'aise, Cash ne bouge pas un cil.

— Je m'en fous, dit-elle.

Je me renfonce dans mon siège.

— J'ai juste besoin de savoir si tu comptes descendre de ton piédestal assez longtemps ce soir pour passer au club de maths, poursuit-elle. Keith veut savoir s'il doit te ramener ou non.

— Ah... En fait, je... je ne suis pas sûre de...

— Pfff... jette-t-elle, complètement écœurée. J'espère que ce gus est vraiment génial au pieu pour mériter ça !

J'ouvre de grands yeux.

— Eh, ce n'est pas...

La sonnerie coupe ma tirade. Au tableau, M. Sanchez nous lance un regard appuyé pour nous enjoindre de nous taire. Je ronge mon frein tout le cours mais, dès qu'il se termine, April se lève d'un bond et me décoche un sourire radieux assorti de son petit signe de main habituel – elle agite tous les doigts d'un air hyper enjoué qui a déjà le don de m'irriter d'habitude. Et je ne rêve pas, j'en suis sûre : elle garde son majeur dressé en l'air un peu plus longtemps que les autres.

Le reste de la journée est à l'avenant. Je ne parle à personne, incapable de penser à autre chose qu'à April et à la bonne stratégie pour l'éviter à tout prix.

Pour finir, miracle des miracles, c'est bientôt l'heure du cours de cuisine (je n'aurais jamais cru penser ça un jour), et je me laisse aller avec épuisement contre les casiers à côté de Seth. Son pouce dessine des figures géométriques sur ma paume.

— Tu veux passer à la maison, ce soir ?

Une vague de soulagement (et d'hormones) me submerge et toutes les réflexions ignobles d'April me sortent de la tête.

— Peut-être.

— Mes parents ne sont pas là, précise-t-il avec un large sourire.

Mon cœur s'emballe. Je ne suis pas certaine de savoir ce que cette nouvelle information a pour conséquences, exactement.

— Hmm…

— Ça ne veut pas dire : « Viens chez moi, on s'enverra en l'air », rassure-toi. Plutôt : « Viens chez moi, je te ferai un petit tiramisu, et peut-être aussi des câlins sur le canapé. »

Je pousse un petit rire. La tension nerveuse qui s'est accumulée en moi à la vitesse de la lumière à cette annonce finit par se libérer.

— Dans ce cas, oui, je suis dispo.

— Parfait ! Est-ce que je dois passer te chercher ? Je peux, mais dans ce cas tu devras attendre plus longtemps ton dessert.

— Non, ça devrait aller. Je dois pouvoir emprunter sa voiture à mon père.

La sonnerie nous signale qu'il nous reste trois minutes avant le prochain cours.

— Il te prête sa caisse ?

— Il me laisse faire à peu près tout ce que je veux.

— Eh bah… Quelle chance !

Seth porte mes doigts à ses lèvres. Pile à ce moment, je me retourne et j'aperçois Drew dans le couloir. Je dégage aussitôt ma main par réflexe. Le garçon campé devant moi me jette un coup d'œil perplexe, l'autre, dans mon dos, s'éloigne sans rien remarquer. Je me demande bien pourquoi l'opinion de Drew a une telle importance à mes yeux. Au fond, elle n'en a aucune. Mais je sors avec Seth depuis plus d'une semaine et, pour l'instant, je suis ravie que Drew n'en sache toujours rien (à ma connaissance).

Je fais semblant de ne pas remarquer le regard inquisiteur posé sur moi et, quand retentit la deuxième sonnerie, nous entrons en cours sans commenter l'incident.

Plus tard, ce soir-là, après avoir passé une heure à me maquiller pour avoir l'air de n'y avoir consacré que cinq minutes, je m'assieds devant mon ordinateur. Depuis que j'ai posté le tuto « Embrasser comme une déesse », la fréquentation de ma chaîne connaît un pic conséquent. Tout le monde n'est pas prêt à mettre la main à la poche mais j'ai quand même récolté une somme conséquente, à ma petite échelle. Qui sait, si ça continue, je n'aurai peut-être pas besoin de prendre le job de serveuse que j'envisageais. Bien sûr, ma messagerie est inondée de questions dans ce goût-là – des questions auxquelles il me tarde de répondre (maintenant que j'ai constaté le succès de ce type de tuto), même si elles me mettent un peu mal à l'aise.

Le truc, c'est que j'ai vraiment envie d'aller à New York. Pas simplement pour voir ma mère : il faut que je me rachète aux yeux d'April. Non seulement je lui ai posé un lapin mais, depuis, je n'ai pas fait tellement d'efforts pour réparer notre relation. Voir que je me suis défoncée pour me payer le voyage pourrait l'inciter à me pardonner, ne serait-ce qu'un petit peu. Et puis j'en ai bien peur : plus délicate sera la question, plus lucrative sera la réponse.

« Comment faire une... » Ouh là ! Oui, non, pas celle-là. Je me fiche de savoir combien ça pourrait me rapporter.

« Comment tenir la main d'un garçon ? » Non, ça ne vaut rien.

Ah, la poule aux œufs d'or : « Comment dissimuler un suçon ? »

Je respire à fond et je prends instantanément ma décision. Sans perdre un instant, je descends les escaliers.

— Papa, tu me prêtes ta voiture ?

Avec Stacey, il est en train de se mater un film à l'eau de rose qu'il n'aurait jamais accepté de regarder avec ma mère. Il s'interrompt au milieu d'une scène absolument captivante, j'en suis sûre, pour répondre :

— Tu vas où ?

— Chez Seth.

Il sort ses clés de sa poche et me les lance sans prononcer un mot de plus. Pas le moindre : « Sois prudente, n'oublie pas de te protéger, ma chérie ! », ni même un petit : « Tu rentres bien avant 23 heures, O.K. ? » Si je les lui avais demandées pour sortir avec Drew, il se serait accroché à son trousseau comme un mort de faim. Mais avec Seth, tout est facile – un changement plus que bienvenu.

Je m'éclipse sans adresser la parole à Stacey (ouf ! elle est captivée par son film) et je roule à tombeau ouvert (bon, j'exagère peut-être un peu…) jusque chez Seth.

À mon arrivée, l'absence criante de voitures dans l'allée vient confirmer celle de ses parents. J'ai l'estomac noué. Pour être honnête, j'ai vaguement l'impression d'être sur le point de me prostituer. Mine de rien, je dois faire en sorte de me retrouver avec un suçon, tout ça pour fournir une réponse payante à mes abonnés. Car c'est un peu ça l'idée, non ? Certes, ce ne sont que des préliminaires, mais je m'apprête à les accomplir pour de l'argent. Pas que, mais tout de même…

J'aurais presque envie que ses parents soient là pour me contraindre à y réfléchir à deux fois. Mais ce n'est pas le cas, et je ne vais pas me raviser à la dernière minute. Je me raccroche à mon dernier argument : après tout, je l'aime bien, ce garçon. Donc ce n'est pas tout à fait pareil !

Je frappe à la porte d'une main qui ne tremble pas. Quand il m'ouvre, les effluves qui émanent de la cuisine m'emmènent au septième ciel. Café certes, mais aussi mascarpone, sucre, biscuit… bref à peu près tout ce qui est mauvais pour la ligne sur cette terre, mais on s'en fiche, car ça en vaut la peine !

— Coucou ! lance-t-il en me déposant un petit bisou sur la joue.

— Ça sent atrocement bon, dans cette baraque.

— Et encore… Attends un peu d'y avoir goûté. Tu as déjà mangé du tiramisu ?

— Non, seulement de la glace au tiramisu.

Il secoue la tête avec un claquement de langue désapprobateur.

— Tu as tant de choses à apprendre…

Je le suis jusqu'au plan de travail, sourire aux lèvres.

— Je peux t'aider ?

— Non, pas ce soir. Ce soir, je cuisine pour toi, ceci n'est pas une leçon.

— Alors, dans combien de temps vais-je pouvoir déguster ce merveilleux dessert ?

Il me prend la main. J'ai fini par comprendre que c'était son grand truc, ce qui me convient parfaitement. Il m'emmène dans une petite pièce attenante à la cuisine. La lumière est tamisée, la télé allumée mais en mode muet.

— Il faut attendre un peu qu'il refroidisse.

— Hmm… O.K.

Quand nous nous installons sur le canapé, dans cette salle où les seules lumières proviennent du poste et de la porte entrouverte, je me rends compte que je ne tiens pas en place. Je devrais peut-être renoncer. Je vais trop loin, là… Non. J'ai pris ma décision, alors je me lance. Enfin, pas tout de suite. Bon, je ne sais pas…

Je finis par proposer :

— Et si on jouait à un jeu ?

— Tu penses à quoi ?

— Ça s'appelle « Deux vérités, un mensonge ».

Il se colle à moi.

— Connais pas, dit-il.

Je le gratifie d'un petit claquement de langue réprobateur.

— Tu as tant de choses à apprendre.

Il éclate de rire, mais je poursuis comme si de rien n'était.

— Les règles sont les suivantes : je te donne trois informations sur moi. Deux sont vraies, une est fausse. Dans le lot, à toi de deviner quel est le mensonge.

— Et si je fais mouche ?

— Euh… Je ne sais pas. Je te dois un baiser ?

— Vendu !

— Je commence, comme ça tu ne pourras pas dire que tu n'avais pas compris le principe. Alors : je n'ai pas le permis, je suis en seconde et ma couleur préférée est le violet.

— Je sais que tu es en seconde. Je ne t'ai jamais vu conduire ni porter de violet. Je vais dire… Ah non, attends. Tu es venue en voiture, tu as le permis.

— Correct. Je dois t'embrasser.

— Mais je t'en prie…

Je me penche pour m'exécuter, juste un smack. Après tout, c'est la première question du jeu.

— À moi. Je joue au billard. Je suis nul en maths et en sciences. Et je suis puceau.

— Ooh… Intéressant. Tu es nul en maths, donc je pense qu'on peut mettre les sciences dans le même sac. Et tu as l'air d'un mec qui joue au billard. Je parie que tu as une table dans ton sous-sol. En revanche, je ne crois pas que tu sois puceau, vu le temps que tu as passé en couple avec Taylor Krissick.

— Perdu.

— Menteur !

— Je ne triche jamais, madame. Eh bah non, on n'est jamais allés jusqu'au bout. Mais je suis super fort en biologie, sache-le.

— Je me suis plantée, quel est mon gage ?

— Je crois que tu me dois un autre baiser.

— O.K… Où ça ?

Il hausse un sourcil et désigne sa bouche. Pas très créatif, mais je saurai faire avec. Je l'attrape par le col pour l'attirer à moi et l'embrasser langoureusement. Quand il se détache de moi, je me rapproche de lui sur le sofa.

— À mon tour. J'ai une peur panique des araignées. Je n'ai embrassé que deux garçons jusqu'à maintenant, dont toi, et je parle couramment français.

— C'est de l'arnaque, ça, madame. Trop facile. Je vais dire le français : tu ne parles pas français.

— *Bien au contraire, cher monsieur*, dis-je dans la langue de Molière. Je le parle comme si j'étais née là-bas. Et jusqu'à il y a deux ans, j'avais... une araignée apprivoisée !

— Tu as embrassé qui d'autre ?

— Ça ne fait pas partie des règles du jeu.

— C'est de bonne guerre.

— Donc, tu as perdu. C'est toi qui me dois un baiser, cette fois.

— Où ça ?

Il s'attend à ce que je dise sur les lèvres, et je suis presque tentée de le faire. Mais mon tuto doit donner des informations authentiques, recueillies de première main. Alors je pose le doigt sur mon cou, juste sous mon oreille. Il suit mon geste des yeux, puis me dévisage un court instant avant de se pencher pour m'embrasser précisément à l'endroit indiqué. La commissure de ses lèvres effleure mon lobe. J'en ai des frissons de la tête aux pieds, j'aimerais qu'il continue. Il s'attarde sur ma peau, mais finit par s'écarter.

— À moi. Je m'appelle Seth Levine. Je suis en terminale. Et je ne veux pas arrêter de jouer à ce jeu stupide pour t'embrasser tout de suite, plus d'une fois, plus d'une seconde de suite.

J'éclate de rire, mais il s'empare de mes lèvres sans attendre, avec plus de fièvre qu'il n'en a jamais déployé jusque-là. Et malgré mon expérience limitée, je pense qu'on peut dire qu'il se débrouille plus que bien. Les mains glissées dans mon dos et derrière mon crâne, il fait montre d'un mélange grisant de douceur et de fermeté. J'en suis tout émoustillée. Puis, comme je m'en doutais, sa bouche dérive vers mon oreille et mon cou.

Je m'adosse au canapé, la tête rejetée en arrière, sans plus penser du tout au tuto que je suis censée préparer. Il m'embrasse la gorge puis la ligne de la mâchoire et, sous ses lèvres, je m'embrase peu à peu. Je sens ses dents me mordiller légèrement, pas assez pour me faire mal, mais suffisamment pour qu'un délicieux tremblement me saisisse tout entière.

Le tiramisu qui refroidit au frigo nous est complètement sorti de la tête.

TUTO N°19 :
DISSIMULER UN SUÇON

Le lendemain est un dimanche et je me prélasse dans mon lit bien après mon heure habituelle. Quand je parviens enfin à me tirer de sous la couette, je me regarde dans le miroir, où je découvre sans surprise une petite marque violette sous ma mâchoire. Elle est placée plutôt en arrière – au besoin, mes cheveux peuvent suffire à la couvrir, mais ce n'est pas grâce à ce genre de petites facilités que mes tutos ont acquis leur petite réputation. J'entreprends donc de descendre à la cuisine.

J'ai listé toutes les astuces évoquées sur Internet. Appliquer une cuillère glacée sur la marque incriminée n'a d'autre résultat que de me congeler le cou. Quoique… À la réflexion, il me semble qu'en effet, la couleur pourpre du suçon s'atténue un brin. Je tente de masser la zone pour y faire circuler le sang, rien à faire. Alors j'essaie de passer une brosse à cheveux dessus : très mauvaise idée ! L'opération s'avère douloureuse et ne fait qu'aggraver la situation. Mais quelques minutes plus tard, la tache semble s'estomper un peu, alors je tente à nouveau le coup de la cuillère. Pas si mal, en fait.

Plusieurs essais de camouflage au fond de teint plus tard, je filme ma vidéo.

Quand je clique sur « PUBLIER », mon téléphone vibre.

Salut, belle inconnue.

Salut.

Viens. Ça fait bien une centaine d'années que tu n'es pas venue.

Je souris… Il exagère, on se voit tous les jours quand on va ensemble au lycée, mais ça fait un bail qu'on n'a pas passé de temps ensemble, c'est vrai. Je ne prends pas la peine de répondre, je peux être chez Drew en moins de deux minutes.

C'est le temps qu'il me faut pour frapper à sa fenêtre. Il la fait coulisser pour me laisser entrer – la bonne solution pour m'éviter tout face à face avec sa mère.

— Tu m'as manqué, dit-il en me prenant dans ses bras.

— Toi aussi.

Nous nous asseyons sur son lit. Même si la dernière fois qu'on s'est vus, la situation était… pour le moins tendue, tout me semble revenu à la normale. Et Drew me paraît tout à fait dans son assiette. Il allume la télé et on ne se dit pas un mot jusqu'à la pause pub.

— Alors, jette-t-il avec un sourire narquois. Comment dissimuler un suçon, donc ?

Le rouge me monte aussitôt aux joues.

— Quoi ?

— Je ne me rappelle pas t'avoir embrassée dans le cou. Si ?

Du coin de l'œil, je discerne son sourire retors.

— Non, dis-je à voix basse.

— Ah, alors comme ça, l'experte certifiée raconte des bobards dans ses tutos, maintenant ?

— Non, finis-je par répondre au bout d'un long moment.

Il se tourne pour m'examiner et son regard tombe sur ma gorge. Son visage se décompose sur-le-champ.

— Ah…

Et puis plus rien. Un immense sentiment de culpabilité m'envahit, ce qui est totalement ridicule. Je n'ai rien fait de mal.

— C'est Seth, pas vrai ?

Je l'entends à peine par-dessus la télé, dont le son n'est pourtant pas très fort.

— Oui, dis-je sans le regarder.

— Vous êtes ensemble ?

— Oui.

— Depuis combien de temps ?

Je pousse un soupir.

— Un peu plus d'une semaine.

Il reste silencieux. Très, très silencieux.

— J'aurais dû te le dire plus tôt.

— Non, ce n'est pas grave. Tu ne me dois aucune explication. Ce n'est pas comme si notre petite séance dans les bois signifiait quoi que ce soit.

Aucun sarcasme dans sa voix. C'est encore pire : je crois que je vais me sentir mal.

— Drew, s'il te plaît.

— Je suis sérieux. Tu n'as pas à me parler de tes conquêtes. Tout va bien. Je ne te parle pas des miennes.

— O.K…

Je n'aurais jamais dû venir.

— Il y a bien eu cette étudiante, il y a quelques semaines, remarque. Extraordinaire. C'était vraiment quelque chose. J'ai failli l'inviter pour remettre ça. Mais tu connais mes principes.

Je me sens comme un lapin pris dans la lumière des phares. Pas un mot ne franchit mes lèvres.

— Et tu appelles ça un suçon ? poursuit-il. Tu aurais dû voir les marques que j'ai laissées à cette fille. Et ailleurs que sur son cou, je préfère te le dire.

Peu à peu, mon pouls s'accélère, je sens mes poings se serrer malgré moi. De son côté, Drew continue comme si de rien n'était :

— Enfin, ce n'est pas comme si c'était la première fois. Avant ça…

— Drew !

Il se tourne vers moi avec, sur le visage, un rictus sarcastique que je ne lui avais encore jamais vu jusque-là, jamais.

— Quoi ? me demande-t-il d'un air innocent.

— Arrête.

— Qu'est-ce qu'il y a ? Tu es jalouse ?

Je me lève du lit, raide comme un piquet, frémissante de colère.

— Arrête de jouer les abrutis ! D'où elle sort, cette conversation ? Pourquoi j'aurais envie de savoir où tu as mordu tes copines et combien de partenaires sexuelles tu as eues ce mois-ci ?

— Explique-moi pourquoi ça t'énerve autant, si tu n'es pas jalouse ?

— Parce que ça me dégoûte ! m'écrié-je en tremblant de plus belle.

— Eh bien peut-être que, moi non plus, je n'ai pas envie d'avoir une description détaillée de la façon dont un crétin t'a sucé le cou pendant trois heures.

— Alors arrête de regarder mes tutos, espèce de fouine !

— Tu devrais peut-être arrêter de te prostituer pour tes précieux petits abonnés, et là, ce ne serait plus un problème que je te suive ou non !

J'ai un mouvement de recul et je le fixe en secouant violemment la tête. Il a la veine du cou saillante, je crois que je lis de la haine dans son regard froid. Je m'exclame :

— Mais qu'est-ce qui te prends ? Pourquoi tu me parles comme ça ?

— Parce que, Renley, je…

Il se tait, se laisse aller en arrière sur sa tête de lit.

— Je n'ai pas envie de jouer à ce jeu-là en ce moment. J'ai déjà mes problèmes, je n'ai pas le temps de m'intéresser aux tiens.

— Qu'est-ce que ça veut dire ?

— J'ai besoin de faire un break dans cette relation tordue et complètement pétée.

Je recule d'un pas. J'ai l'impression qu'une enclume vient de me tomber sur la tête.

— Hein ?

— Écoute, tu… Depuis l'autre jour, les choses ont changé. Ce n'est plus possible. Je ne peux plus passer mes journées avec toi, à mourir d'envie de t'embrasser sans pouvoir te toucher, surtout maintenant que je sais l'effet que ça me procure. C'est au-dessus de mes forces. C'est un truc de malade.

— Et donc quoi ? C'est fini ?

— Non. Ça non plus, je ne peux pas. Tout ce que je sais, c'est que ce truc, là, entre toi et moi, ce n'est pas normal. (Sa main va de lui à moi à plusieurs reprises.) Et que je n'arrive plus à le supporter. Pas quand tu me balades comme ça avant d'aller demander à un autre de te faire des suçons et je ne sais quoi d'autre. Écoute, je suis… je ne suis pas fâché. On n'est pas fâchés. Ça va. C'est juste que…

Je vois bien qu'il a l'air au supplice et, en d'autres circonstances, je donnerais n'importe quoi pour le rassurer, mais les mots qu'il prononce ensuite me font l'effet d'éclats de verre qui transpercent mon cœur :

— J'ai simplement besoin que tu me laisses tranquille quelque temps.

Je cligne des yeux comme une malade. Je me mords la langue et je l'aspire le plus fort possible. J'ai entendu dire que ça empêche de pleurer. Et je refuse de pleurer.

Pas maintenant. Pas devant lui, pas comme ça. Alors je me hisse par la fenêtre, les mains tremblantes et je ne réponds qu'une fois de l'autre côté.

— O.K. Salut.

Sans un regard en arrière, je cours jusque chez moi parce que sinon je vais craquer sous ses yeux, dans sa chambre.

Je n'arrive pas à penser à ce qui vient de se passer. Et en même temps, je ne peux pas m'empêcher d'y penser non plus. Obscurément, à travers la peine et la peur, une pensée me revient, encore et encore. Qu'est-ce qui donne le droit à Drew de décider avec qui je peux sortir ? Qui je peux embrasser ? Qui peut me faire un suçon où et quand j'en ai envie ? Il ne peut pas me forcer à sortir avec lui ! C'est quoi, son délire : c'est ça ou on ne peut plus être amis ? Je ne lui ai pas demandé de tomber amoureux de moi, enfin ! Je crois bien que je suis en train de faire une crise de panique.

Sans vraiment réfléchir, je sors mon téléphone pour envoyer un texto à ma mère. Je ne veux pas savoir quand elle va répondre ni même si elle va le faire. Je lui écris un message, point à la ligne.

Maman, il faut vraiment, vraiment que je te parle. Je crois que c'est une des pires journées de ma vie.

Et je clique sur « ENVOI ».

Quelques secondes plus tard, il est marqué comme reçu. Elle ne l'a pas encore lu, mais ça viendra.

Retour à la case panique parce que je sais qu'elle ne répondra pas et que ce serait pareil pour Drew si je lui écrivais. Parce qu'April veut ma mort et que Seth ne comprendrait pas. Et bien sûr, tout ça, c'est ma faute. J'ai laissé la situation avec April dégénérer, mais je me rends compte à présent que c'était une terrible erreur.

On frappe à ma porte. Je ne réponds pas car je ne serais même pas capable de prononcer le mot « Entre ! » sans fondre en larmes. Mon père ouvre quand même le battant alors je me glisse dans mon lit et je tire la couverture jusqu'à mon menton.

— Ma puce ?

Mais apparemment, le simple fait d'entendre la voix d'un autre être humain suffit à ouvrir les vannes. En me voyant éclater en énormes sanglots, il se fige.

— Leelee, qu'est-ce qui se passe ? Un problème avec ton voyage ?

Il se précipite vers le lit. Je me contente de secouer la tête et de jeter les bras autour de son cou. Sa chemise se retrouve trempée en un rien de temps. Je m'accroche à lui comme à une bouée de sauvetage et il me serre contre lui et me laisse pleurer jusqu'à ce que je n'aie plus de larmes.

— Qu'est-ce qui ne va pas ? murmure-t-il, le menton posé sur ma tête.

— Je ne peux pas te le dire, dis-je d'une voix entrecoupée de hoquets.

— Tu peux tout me dire.

— Non, Papa. Je… Je veux parler à Maman.

Il se tait un long instant.

— Tu veux que j'appelle Stacey ?

Je secoue la tête, presque hystérique.

— Je crois... Je crois que je vais juste rester un peu ici toute seule.

Il m'étreint encore un petit bout de temps, ce qui me convient. Après un moment, il s'en va et éteint la lumière. On est au beau milieu de l'après-midi, mais je me roule en boule et, sans le vouloir, sans m'en rendre compte, je m'endors.

À mon réveil, il fait nuit et je sens l'air froid s'insinuer par la fenêtre que j'ai oublié de fermer. Le truc vraiment pourri, c'est que je ne me sens pas mieux du tout.

Un message m'attend sur mon téléphone, que j'hésite d'abord à saisir. Puis mon pouls s'emballe. C'est ma mère.

Dsl pr ta journée. Nul. En sortie avec chéri + fille. On se parle + tard ? Xoxoxo

Plus une ligne entière d'emojis.

De rage, je jette mon portable par terre. Elle ne m'appellera ni plus tard, ni jamais. À ses yeux, je ne suis qu'un souvenir pénible de ce qu'elle avait avant, un rappel odieux de ce que mon père et Stacey lui ont fait. Avec son « chéri », elle a une autre fille, de trois ans à peine, bien plus mignonne que moi et qui ne lui évoque aucun souvenir douloureux. Et si ça lui suffit, eh bien soit.

Mais bon sang, si seulement je pouvais lui parler ! Je sais bien que c'est impossible. Cela dit, pour être honnête, ça fait encore plus mal que cette histoire avec Drew.

Je donnerais n'importe quoi pour pouvoir lui décrire ce garçon à tomber à la renverse qui a fini par remarquer mon existence, qui m'a demandé de sortir avec lui et qui cuisine comme un dieu. Lui expliquer ma dispute ridicule avec April. Lui raconter la décision qu'a prise Drew, histoire qu'elle me dise que tout va bien se passer, qu'il fait sa mauvaise tête parce qu'il est humain, mais qu'il va finir par revenir. Je voudrais qu'elle tique en remarquant le suçon qui pointe sous mon maquillage. Mais ce n'est pas ce qui arrivera. Parce qu'elle n'est pas là. Elle n'est pas là.

Soudain, j'étouffe dans ma chambre dont les murs se referment sur moi, il faut que je sorte de là. Comme quand j'étais petite, je me hisse sur le toit depuis ma fenêtre. Je ne porte qu'un débardeur et un minuscule boxer, il fait un froid de canard et les tuiles me râpent les jambes mais, étrangement, c'est ce dont j'ai besoin. Je jette un coup d'œil alentour : il est tard et il n'y a pas âme qui vive alors, pour la première fois depuis une éternité, je m'autorise à penser à elle, à me laisser submerger par la douleur. Forcément, ça se transforme vite en chutes du Niagara.

Je pleure sans faire de bruit, mais si fort que je vois à peine à travers mes larmes et que j'ai du mal à respirer. Une douleur terrible me transperce la poitrine – un vide sidéral. Je pleure si fort que ma gorge et mes poumons me font mal. Je suis tellement dans mon univers, je me sens tellement seule au monde, que je ne l'entends pas traverser sa pelouse puis la mienne.

— Renley ?

J'arrête de pleurer une seconde, le temps de répondre d'une voix rauque :

— Quoi ?

Il saute sur le rebord de ma fenêtre.

— Je peux monter ?

Le regard noir, je me tourne pour lui faire face.

— Tu te fous de moi ?

Mais je ne refuse pas, et il le sait aussi bien que moi. Alors il vient s'installer à mes côtés. Je fais un effort herculéen pour étouffer mes larmes.

— Ça va ?

Je réponds dans un hoquet.

— Non.

— C'est à cause de moi ? Je suis vraiment désolé d'avoir dit que tu te prostituais pour tes abonnés. C'était un coup bas. Et je ne voulais pas dire que c'était fini pour toujours entre nous. Simplement que…

Je l'interromps, et la colère me rend hargneuse :

— Mon monde ne tourne pas exclusivement autour de toi, Drew.

Il ne répond rien. Je prends quelques secondes pour respirer plus calmement, puis je pousse un soupir.

— Désolée. Bref la réponse est non.

Il se rapproche.

— Alors qu'est-ce qu'il y a ?

Je m'efforce d'oublier qu'il m'a bannie de sa vie il y a quelques heures à peine – soyons honnête, je me sens complètement rejetée. Très drôle d'ailleurs : j'ai toujours pensé qu'il m'abandonnerait lui aussi et… c'est ce qu'il a fait. Mais je n'ai personne d'autre à qui parler et je suis incapable de supporter cette idée alors, juste pour cette fois, je mets ma dignité de côté et je fais comme si de rien n'était.

— C'est complètement débile, comme d'habitude.

— Je ne me moquerai pas.

— C'est juste que…

Dans ma gorge, une grosse boule se reforme et commence à m'étouffer. Ma voix se brise :

— Ma mère me manque.

Et c'est reparti, les vannes se rouvrent… Je suis vraiment une mauviette. Un bras passé autour de mes épaules, il m'attire à lui.

— Tu me tues, Renley, murmure-t-il.

— Je sais. Tu ne devrais pas être là. On fait un break, dis-je d'une voix étouffée par le tissu de sa veste.

— Pas ce soir. Je ne vais pas te laisser toute seule dans un état pareil.

— Tu devrais. Je ne sortirai pas plus avec toi que tout à l'heure.

— C'est pas grave. Viens chez moi.

Je le regarde, et je suis obligée d'être honnête.

— Je ne peux pas. Pas après…

— Oublie ce que j'ai dit. On y pensera demain.

— Même. Je ne peux pas dormir chez toi : j'ai un copain.

— On s'en fout de ton copain. Tu y penseras demain aussi. Ce soir, viens avec moi. Peu importe ce que j'ai dit. Hors de question que je te laisse comme ça, pas dans cet état. Et tu as intérêt à accepter parce que l'autre option, c'est qu'on reste ici toute la nuit, et je n'ai pas l'intention de te prêter ma veste. Pourquoi tu ne penses jamais à prendre un manteau, nom d'un chien ?

Je souris malgré moi et je le laisse m'entraîner : nous glissons depuis le toit jusqu'au rebord de ma fenêtre, puis jusqu'au sol. Je le suis jusqu'à sa chambre. À présent que mes sanglots ont cessé, je peux lui poser la question :

— Qu'est-ce que tu faisais dehors, au fait ?

— Oh, la routine habituelle…

On grimpe par sa fenêtre. Une fois à l'intérieur, j'entends les bruits étouffés de sa mère en pleins ébats avec un partenaire. Drew ôte sa veste, sa chemise et son jean avant de se glisser dans le lit en boxer. Cette fois, c'est étrange pour moi. Je ne dis rien mais je ne bouge pas. Il me fait un petit signe de tête.

— Viens.

Je finis par me glisser à ses côtés et appuyer la tête contre son torse pour savourer avidement le réconfort familier de ses bras, le battement de son cœur sous mon oreille.

— Ça n'a rien d'honteux qu'elle te manque, tu sais.

Sa voix vibre contre ma tempe et un sanglot me remonte dans la gorge.

— Moi, mon père me manque tous les jours. Et il est parti quand j'avais sept ans. Sept ans. Tu te rappelles ?

Ma joue remue imperceptiblement contre sa poitrine. Bien sûr que je me rappelle.

— Eh bien, je pense encore à lui. Je me demande s'il est espion, quelque part à l'étranger, comme me racontait ma mère au début. Ou s'il est en train de picoler dans un bar où tout le monde l'appelle par son prénom. S'il va à la pêche le dimanche avec un autre gamin qui n'est pas moi, s'il s'est choisi une autre famille. Pitoyable, non ? Dix ans ont passé, et je ne m'en suis toujours pas remis.

Sa voix se brise sur les derniers mots. Je reste silencieuse un instant, puis :

— Ma mère est partie il y a cinq ans. J'avais onze ans.

— Je me rappelle.

C'est ce jour-là que j'ai embrassé Drew pour la première fois. Au bord de la rivière, avant de lui raconter ce qui s'était passé.

Je me mets à renifler.

— Je croyais qu'on avait une super relation, tu sais… Un truc normal. On parlait coiffure, vêtements, spectacles de danse et comédies romantiques débiles. Mais quand elle a appris que mon père la trompait, elle est partie du jour au lendemain. Elle nous a abandonnés. Elle m'a laissée sur le carreau. Depuis quand on laisse tomber ses propres enfants pour un mec ? Elle ne m'appelle jamais. On passait notre vie au téléphone avant, mais maintenant, elle a au mieux cinq minutes à me consacrer avant de raccrocher. La plupart du temps, elle ne répond même pas. Elle ne m'écrit jamais de message. Elle ne m'a pas envoyé de carte pour mon anniversaire. Celui de mes seize ans. Rien. Elle pourrait aussi bien être morte. (Une pause, puis j'ajoute :) Comment je fais pour continuer sans elle, moi ?

Il me serre tellement fort contre lui que j'ai du mal à respirer. Mais je me sens en sécurité. Comme s'il était la seule chose qui m'empêche de tomber en morceaux. Nous restons dans cette position si longtemps que je pense d'abord qu'il s'est endormi. Mais soudain, il lâche :

— Ça n'avait rien à voir avec toi, Renley.

Je le regarde sans rien dire.

— Ta mère est partie de son propre chef. Pas à cause de toi.

— Qu'est-ce que tu en sais ? demandé-je d'une petite voix.

— Parce que quelqu'un qui peut t'avoir rien que pour lui et qui s'en va quand même est forcément cinglé.

Je me détends contre son flanc.

— Je suis désolée que ton père soit parti.

Il inspire profondément.

— Je suis désolé pour ce qui s'est passé, dit-il.

— Je suis désolée que tu m'aies vue pleurer et que tu aies dû renoncer à ton break.

— Demain. Demain, je me lèverai avant toi, et je m'en irai. Et tu pourras rentrer chez toi et ne pas me contacter pendant quelque temps. Et tu iras bien et j'irai bien. Et tu pourras retourner à ton copain beau à mourir et sourire et redevenir la Renley insouciante de d'habitude. Mais ce soir, on s'en fiche. D'accord ?

— D'accord.

À sa voix, je devine le sourire triste qui s'étire sur son visage quand je l'entends ajouter :

— Cette histoire est tellement tordue.

La joue tout contre son torse, je sais que j'ai la même expression sur le visage. Et je m'enfonce dans le sommeil.

TUTO N°20 : FAIRE METTRE UN COQUARD À QUELQU'UN

Je me réveille tôt mais, comme il l'a promis, Drew est déjà parti. Et ce matin, contrairement à hier, ça ne me fait pas mal – je crois que c'est parce que je m'y attendais. Et peut-être aussi parce que je sais qu'il ne me déteste pas, pas vraiment. Donc quand je sors de son lit, je ne me sens pas trop mal. Et quand je dois me pointer à l'arrêt de bus pour la première fois depuis un bail, ça me gave, mais je n'en meurs pas. Je ne me sens même pas vraiment dans un état second. Je me sens juste… à peu près normale.

Écouteurs dans les oreilles, je m'affale à la première place que je trouve au fond du véhicule. Je me retrouve entourée de troisièmes. Une marée humaine de petits troisièmes qui font des trucs de troisièmes. Le paysage est coupé en deux horizontalement à l'endroit où les deux vitres du bus se chevauchent. Et même avec le volume à fond, les autres passagers parviennent à se faire entendre par-dessus ma musique. C'est bon, j'abandonne. Hors de question de remettre ça demain.

Coucou…

Salut ! ☺ répond Seth.

Donc, tu ADORERAIS m'emmener au bahut demain, c'est bien ça ?

Je crois que j'habite encore plus près du lycée que je ne le croyais, parce qu'avant que Seth ne puisse me répondre, le monstrueux véhicule ralentit et s'arrête. Je reste assise deux minutes. Inutile de se lever : la horde de gamins devant moi va mettre un millénaire à dégager le passage. Mon téléphone vibre encore.

Forcée de prendre le bus ce matin ?

Ne m'en parle pas !

Je te retrouve à l'arrêt.

Quand la majorité des élèves a fini de se déverser sur le trottoir, je me lève, je range mon smartphone et je m'extrais de ma prison sur roues. Ah ! Liberté et air frais exempt d'odeurs corporelles intempestives.

Au bas des marches du bus, je découvre Seth qui me sourit. Il me tend la main et nos doigts s'entremêlent. Ses lèvres ne s'attardent qu'un instant sur les miennes.

— Alors comme ça, tu as besoin d'un chauffeur demain ?

— Demain. Et le jour suivant, si possible. Pour une durée indéterminée.

— Ça me va.

— Parfait ! À quoi ça sert d'avoir un copain si on ne peut pas tirer parti de son permis de conduire, je te le demande !

Une main sur le cœur, il feint d'être choqué et déçu.

— Tu oserais te servir de moi ? Je suis abasourdi.

— Que veux-tu, je suis une fille sans scrupules…

Ses doigts effleurent les miens et je frissonne.

— Donc je passe te chercher demain matin, et les jours suivants, tout ça pour une durée indéterminée. Juste par curiosité, qu'est-ce qui a causé ce soudain changement de moyen de transport ?

— Oh, mon chauffeur m'a plantée, c'est tout.

— Qui est-ce ? demande-t-il d'un ton nonchalant.

Il ne me le demande pas par jalousie, je le sais, mais sa question me met mal à l'aise.

— Euh… Drew.

Il s'arrête net pour me dévisager.

— Drew ? C'est lui qui t'emmène depuis tout ce temps ? dit-il d'une voix sèche.

— Oui. Attends, j'avais oublié de te dire que je m'envoyais ce bon vieux Drew depuis tout ce temps ? Ah non, attends… Vérification faite, il m'emmenait au lycée, point à la ligne.

Il pince les lèvres.

— Désolé. C'est juste que je ne savais pas que c'était ce gars-là qui te déposait.

Ce gars-là. C'est dit sur un ton qui m'irrite encore un peu plus.

— Tu savais qu'on était amis, non ?

— Oui, oui. Désolé. Ce n'est pas ce que je voulais dire. J'ai toujours l'impression que s'il connaît une fille de près ou de loin, il lui a forcément ôté tous ses vêtements à un moment ou un autre. C'est presque un réflexe.

Je manque de lâcher son bras. Avant d'arriver à la porte du lycée, on s'appuie tous les deux contre le mur de brique malgré le froid. Il prend ma main entre les siennes et commence à jouer avec mes doigts.

— Je ne sais pas pourquoi je suis jaloux, d'ailleurs. Drew n'a pas le droit de faire ça, par exemple…

Le rouge me monte aux joues et je confirme :

— C'est vrai.

— Ou ça…

Il m'embrasse dans le cou, juste sous l'oreille. Je me tortille, troublée. Puis ses lèvres se posent sur les miennes, ses doigts suivent la ligne de mon menton.

— Et Drew ne t'a jamais embrassée, lui.

Il sourit et moi, je rougis… en partie à cause de ses baisers, en partie parce que ce n'est pas tout à fait exact. Comme je ne réponds rien, il recule un tout petit peu la tête pour me regarder.

— J'ai dit : Drew ne t'a jamais embrassée, lui.

— Oui, j'ai entendu.

Il s'écarte franchement.

— Il t'a déjà embrassée ?

Je lève les yeux au ciel.

— Qu'est-ce que ça peut te faire ?

— Tu m'as dit que vous étiez amis.

— C'est le cas.

— C'est un service que tu offres à tous tes amis ?

Blessée par ses insinuations, je m'éloigne du mur et de lui.

— Ça n'est arrivé qu'une seule fois ? me demande-t-il.

— Non.

Désormais, je lui tourne le dos : je me dirige d'un pas rapide vers l'entrée.

— Quand ?

— C'était il y a environ trois semaines, Seth. Je ne sortais pas encore avec toi, si c'est ce que tu veux savoir.

— Trois semaines ? fait-il d'une voix suraiguë. Et plus d'une fois ? Et il t'emmène au bahut tous les jours malgré qu'on sorte ensemble, et toi tu ne m'as rien dit ?

Je fais volte-face, les bras croisés. Ma queue de cheval me fouette le visage.

— Ça n'a aucune importance. Il n'y avait rien à dire. Et pour être franche, la jalousie, ça ne te va pas du tout.

— Je ne serais pas obligé de me montrer jaloux si ton meilleur ami, à qui tu roules des pelles de temps à autre, apparemment, n'était pas le plus gros chaud lapin du lycée.

Jamais je n'aurais cru avoir envie un jour de gifler le joli minois de Seth Levine. Mais là, j'avoue que ma paume me démange.

Je recule de quelques pas, mains en l'air, résignée.

— Je ne sais même pas quoi répondre à ça. Inutile de passer me chercher demain, en tout cas.

Je m'éloigne à grand pas, mes tout nouveaux talons cliquetant sur les pavés.

— Attends ! dit-il.

Mais je suis déjà dans le hall d'entrée. Deux minutes plus tard, je m'affale sur ma chaise en cours de maths avec un soupir perçant.

— Ouh là ! On dirait que… je ne sais pas, qu'on a piqué ton lapin nain.

— Pardon ?

Je reconnais la voix d'April – et son talent pour les formules absurdes. Je me retourne, prise au dépourvu. Je n'en reviens pas qu'elle m'adresse la parole. Un sarcasme grinçant perce toujours dans sa voix, mais j'ai l'impression que son aigreur n'est plus aussi vive.

— Ce que je veux dire, c'est que… On ne dirait pas qu'on a piqué ton chien adoré, juste… ton lapin nain, tu vois ?

— Euh…

— Alors… dit-elle. Il y a de l'eau dans le gaz ?

Elle pousse un soupir, me détaille de la tête aux pieds puis, excédée, change de place pour venir s'asseoir à côté de moi.

— C'est Seth. Et Drew. Et… le cours commence dans deux minutes et j'ai trop de choses à te raconter.

Elle triture son piercing à la lèvre. Est-ce qu'elle distingue le soulagement qui s'allume au fond de mes prunelles ? Je parie que j'ai l'air d'une parfaite poupée en plastique, le visage brillant d'espoir. Beaucoup trop enthousiaste, même : si on ne finit pas par se réconcilier, je risque de me dégonfler et de mourir.

— Tu es libre après les cours ? fait-elle sans sourire, mais sans me fusiller du regard non plus.

Je ne sais pas si ma mine me trahit ou pas, mais j'ai dans la poitrine un vide terrible en forme d'April. Même si je n'étais pas disponible ce soir, je me débrouillerais pour l'être.

— Je suis tout à toi.

Son expression s'illumine un brin, tout comme la mienne, puis la sonnerie retentit et un cours interminable commence.

À la sortie, Seth m'attend, les yeux fixés au sol. Avril, qui n'est pas née de la dernière pluie, nous laisse aussitôt seuls. Je la regarde s'éloigner : ses cheveux noirs et bleus rebondissent sur ses épaules. Je n'en reviens pas qu'une trêve soit possible. C'est aussi soudain que merveilleux. Ce qui est moins merveilleux, en revanche, c'est la tête de Seth.

— On peut se parler ? demande-t-il avec de grands yeux ronds et tristes.

— Oui. J'ai une heure de libre.

— J'ai sport. Mais on s'en fiche.

Il glisse des doigts hésitants le long de mon bras pour finir par prendre ma main. Je le laisse faire en tentant fermement d'ignorer la chair de poule que ce contact pourtant léger provoque chez moi.

Nous sortons sur le parking pour monter dans sa voiture. J'ai la boule au ventre.

— On va où ?

— Au parc ? propose-t-il.

— D'accord.

C'est un petit square situé à quelques minutes de là, toujours désert en semaine, à part quelques canards qui ne sont même pas là l'hiver. La nuit, on y vient pour flirter (ou s'acheter un pétard, tout dépend).

Nous faisons le trajet en silence mais il ne lâche jamais ma main, ce qui permet à mon cœur de ne pas flancher. S'il se confirmait que j'ai tout gâché avec ce garçon en une semaine et demie, je serais dans un état déplorable.

Une fois garés devant la grille métallique du parc, nous empruntons un petit chemin bétonné jusqu'à une mare boueuse près de laquelle nous nous asseyons.

— Je suis désolé, dit-il.

— O.K., dis-je d'un ton méfiant.

— C'est juste que je sais qu'il y a toujours eu plus ou moins quelque chose entre Drew et toi, et je détesterais me retrouver pris entre deux feux. Surtout si j'ignore de quoi il retourne vraiment.

— Et tu déduis tout ça du fait que je l'aie embrassé une fois ? Enfin… Un peu plus.

— Il y a trois semaines.

— Oui, je vois ce que tu veux dire. (Je me tourne vers lui.) Écoute, c'est mon meilleur ami. Et il est amoureux de moi depuis… des éternités. J'ai dérapé et on s'est embrassés et c'est tout. Ensuite, j'ai commencé à sortir avec toi et j'ai tout oublié. Fin de l'histoire.

Il reste muet un moment.

— Donc il n'y a rien entre vous ?

— Absolument rien.

— Il est toujours amoureux de toi ?

Je pousse un soupir.

— Oui.

— Tu en es sûre ?

— On en a parlé il y a deux jours à peu près.

Il se tourne vers moi d'un geste brusque, l'air surpris.

— Ah bon ?

— Ne t'en fais pas pour ça.

Le visage sombre, il jette un caillou dans la mare. Je pousse un gros soupir.

— Sérieusement, Seth… On a une heure de libre plus la pause déjeuner. Tu crois vraiment que la passer à parler de Drew en se torturant les méninges, c'est une manière intelligente d'utiliser son temps ?

Il me contemple, un petit sourire aux lèvres.

— Tu as raison. Ce serait quatre-vingt-dix minutes vraiment gâchées.

Je suis contente qu'on soit seuls, parce que même s'il a tendance à prendre la mouche pour pas grand-chose, j'ai très envie de l'embrasser pendant les prochaines… eh bien, quatre-vingt-dix minutes. Alors je ne m'en prive pas.

Après le cours de cuisine, je regarde Seth s'éloigner dans le couloir en envoyant un message à April pour convenir d'un horaire. Puis j'erre sans but dans le hall en essayant de décider comment rentrer chez moi. Il fait froid et j'ai loupé le bus. Je pourrais peut-être trouver Seth pour qu'il me raccompagne.

Je déambule au hasard jusqu'à ce que j'entende des murmures. L'une des voix ressemble à celle de Seth. L'autre, c'est Drew, j'en suis sûre. Je jette un œil à l'angle du couloir. Je vois deux silhouettes. De là où je me trouve, j'entends Seth déclarer :

— Écoute, je ne veux pas d'ennuis.

— D'accord, répond Drew d'un ton posé.

— Je te demande juste, d'homme à homme, de calmer un peu le jeu avec Renley. C'est ma copine, tu piges ?

Drew s'adosse contre le mur, les mains dans les poches.

— Mais calmer quoi, exactement ?

Seth lui jette un regard appuyé.

— Je sais que tu t'intéresses à elle. Je veux juste que tu la laisses tranquille, c'est ma copine. C'est possible ?

— Quoi… Elle t'a dit pour hier soir ?

Oh non ! Pas hier soir. Je vais mourir. Je vais tomber foudroyée. Est-ce que je devrais intervenir ? Pour qu'ils sachent que j'écoutais en douce ? Non. Quoi qu'il arrive, je vais être forcée de donner des explications à Seth pour hier soir.

Je le vois qui incline la tête sur le côté, dubitatif.

— Hier soir ? repète-t-il.

Drew fait calmement un pas en avant.

— Il ne s'est rien passé. Elle avait besoin d'un ami. J'étais là. Alors je l'ai laissée dormir chez moi.

— Quoi ? demande Seth avec un calme inquiétant.

— Je te l'ai dit, il ne s'est rien passé. Je sais qu'elle a un copain, je n'ai rien tenté.

— Elle est restée chez toi toute la nuit ? Elle a dormi dans ton lit ?

Drew lève les yeux au ciel.

— Oui. Mais je te dis qu'il ne s'est rien…

Seth s'avance et le pousse en arrière. Mauvais plan, très mauvais plan… Ne tente pas le diable, Seth. C'est mon copain, donc je devrais me faire des illusions sur sa capacité à l'emporter sur les autres garçons en cas de bagarre, mais je sais qu'il n'a pas la moindre chance contre Drew.

Qui se fige, menaçant.

— Arrête ça tout de suite.

— Tu as dormi avec ma copine et tu voudrais que j'arrête ?

Seth bouscule de nouveau Drew, qui vacille à peine. Il reste fermement planté sur ses deux pieds, cette fois. Je le vois serrer les poings.

— Écoute, je n'ai rien contre toi. Donc un conseil : ne me touche pas, parce que je n'ai vraiment pas envie de te faire mal.

Seth retrousse presque les babines.

— Tu ne veux pas que je te touche ? Alors ne touche pas ma copine, enfoiré !

Drew serre les dents, ses yeux lancent des éclairs. Je l'ai déjà vu dans cet état. Je sais ce qui va se passer, mais je ne peux pas bouger.

— Du calme, l'homme des cavernes. Qu'est-ce que tu es en train d'essayer de faire, défendre l'honneur de ta femelle ou quoi ? Renley sort avec toi depuis deux minutes. Mais elle dort dans mon lit depuis deux ans, je te signale.

Seth lui décoche un coup de poing mais, comme je l'avais prévu, il ne heurte que le mur. Drew, qui s'est écarté sans le moindre effort, s'ébroue brièvement, se redresse de tout son haut, roule les épaules et, quand son adversaire se retourne, il frappe. Fort.

Son poing s'écrase sur le visage de Seth, qui s'écroule. Drew secoue la tête d'un air désabusé avant de s'éloigner dans le couloir sans se retourner. Quand il me croise, il ne ralentit pas l'allure.

— Désolé pour le visage de ton copain, fait-il à mi-voix.

J'en reste bouche bée, comme un personnage de dessin animé. Impossible d'affronter le regard de Seth dans un moment pareil. Je n'ai aucune envie qu'il sache que j'ai assisté à la scène. Alors je file à l'anglaise. En fin de compte, je vais rentrer à pied.

TUTO N°21 :
RÉPARER CE QU'ON A CASSÉ

Salut April ! Et si je passais te chercher maintenant avec la voiture de mon père ? Ça t'irait ?

O.K. À tout de suite.

J'attrape les clés suspendues à leur crochet dans le couloir, claque la porte d'entrée derrière moi et fonce jusque chez April. Tout le long du chemin, je fais résolument abstraction de la peur qui me tord l'estomac à l'idée de revoir Seth – car, pas de doute, il faudra bien que je le revoie un jour. Je préfère me concentrer sur la joie que j'éprouve à l'idée de renouer avec ma meilleure amie. C'est sûrement ridicule de ma part d'être aussi enthousiaste, mais ça fait un bail que je n'ai pas traîné avec une autre fille que Stacey…

Je me gare dans son allée. Je l'aperçois assise à la fenêtre et quand elle me voit, j'ai soudain les mains moites et tremblantes. N'importe quoi… Pourquoi suis-je aussi tendue ? Ce n'est pas comme si j'avais prévu de perdre ma virginité, ce soir ! Elle grimpe dans la voiture avec un large sourire qui, étrangement, me rend plus nerveuse encore.

— Alors, on va où ?

J'agite les doigts devant sa figure. Elle comprend aussitôt de quoi il retourne.

— Une manucure, bonne idée…

— Je crois que c'est ce qu'il y a de mieux à faire.

Elle observe ses cuticules avec un profond soupir.

— Oui, l'hiver, mes mains sont toujours dans un sale état.

Le silence s'abat dans la voiture. Ce sont les soixante secondes les plus longues de l'histoire. Et l'attente se poursuit. Mon cœur flanche. Soudain, je reconnais enfin la sensation désagréable qui s'est installée au creux de mon estomac depuis qu'April est montée dans la voiture : un terrible sentiment de culpabilité me ronge.

Je n'ai qu'une peur… Qu'elle se mette à me hurler dessus bien avant que je me gare dans le parking du centre commercial. En cours, elle n'a fait qu'ignorer ma présence ou m'aboyer dessus, pourquoi se serait-elle calmée, d'un coup ? Je ne suis même pas sûre de pouvoir tenir correctement une conversation amicale avec elle : tétanisée de trouille, j'attends qu'elle évoque la fameuse soirée du feu de joie et mon interminable silence radio depuis… depuis… Je ne sais même pas depuis combien de jours on ne s'est pas parlé au téléphone !

Donc je me tais et je compte les minutes en priant pour échapper à sa vengeance. Pour finir, comme elle n'ouvre pas la bouche, je me lance.

— Je suis vraiment désolée pour...

— Donc, ces dernières semaines...

Nous nous taisons et échangeons un regard.

— Toi d'abord, dit-elle.

Vraiment génial. Super, merci.

Je garde les yeux rivés sur la route, en partie parce que je conduis, bien entendu, mais aussi parce que je me sens horriblement mal à l'aise.

— Désolée pour cette histoire de feu de joie. Je n'ai pas assuré, c'était minable. (Agrippée au volant, j'essaie de respirer calmement.) Et désolée de ne pas avoir essayé de te contacter depuis.

— Moi aussi, j'aurais pu t'appeler.

— Oui, mais c'est ma faute si on s'est disputées au départ. C'était à moi de faire le premier pas...

— C'est vrai, tout est entièrement ta faute, j'essayais juste d'être sympa.

— Espèce de peau de vache !

Je lui donne un petit coup à l'épaule. Son rire si familier m'arrache un sourire et je monte le son de la radio. Et comme ça, sans prévenir, on se détend toutes les deux.

Au centre commercial, April bondit littéralement de la voiture pour m'attraper par la main et m'entraîner vers l'entrée, si vite que j'en trébuche dans tout le parking, constellé de plaques de verglas.

Elle ne me lâche qu'au moment de pénétrer dans l'immense bâtiment, pleine d'une énergie vitale qui est sa marque de fabrique. Moi, en revanche, je me prends en pleine face le battant qu'elle a poussé trop fort. Mais tout va bien. Elle est enthousiaste, moi aussi… Une porte et un nez en ont supporté les conséquences, fin de l'histoire. Ça pourrait être pire : elle pourrait refuser de me parler.

Nous longeons avec détermination une série de couloirs carrelés, assaillies à intervalles réguliers par des odeurs de café, de cookies ou de pizzas – sans oublier les effluves de cuir qui s'échappent par vagues d'une immense maroquinerie. Les boutiques défilent et nous venons d'esquiver une vendeuse à l'accent italien armée d'un immense sourire qui essaie de fourguer aux visiteurs des fers à friser à cent cinquante dollars quand je détecte enfin l'odeur familière de l'acétone.

Derrière le comptoir nous attend une esthéticienne qui accueille April d'un air vaguement désapprobateur – sans doute à cause de ses audacieuses mèches turquoise. Mais soit l'intéressée ne s'en aperçoit pas, soit elle s'en fiche complètement.

— Vous auriez deux places tout de suite ? s'enquit-elle.

— Pour quel soin ?

April m'attrape par l'épaule pour illustrer son propos.

— Nous avons désespérément besoin d'une manucure.

— French ou classique ?

J'opte pour la french. Mon amie, quant à elle, se dirige droit sur les vernis fluo, ce qui ne surprend personne, et les examine en tripotant son piercing. Après une longue délibération, elle brandit une petite bouteille vert fluo avec un sourire triomphal.

— Je peux avoir une french de cette couleur ?

La femme lève à nouveau les sourcils d'un air à la fois dubitatif et réprobateur. Je soutiens April : pourquoi proposer ce coloris si elle ne l'aime pas ? Quoi qu'il en soit, l'esthéticienne finit par accepter et nous nous installons. Deux employés, un garçon et une fille, sortent alors de l'arrière-boutique et leur supérieure retourne derrière son comptoir. Ouf, bon débarras !

Le premier s'assied en face de moi, la deuxième prend place devant April. Elle a des mèches rose et sur les ongles, ce vernis craquelé très en vogue dans les années 90 revenu à la mode il y a un an ou deux, mais qu'on ne voit plus porté très souvent, maintenant. Cette fille est parfaite pour April.

— Très jolies mains, me dit son collègue, non sans m'adresser un clin d'œil qui me fait rougir.

Puis tous deux se mettent au travail.

— Alors, lance April, qu'est-ce qui s'est passé avec Seth ?

Je pousse un grognement dépité.

— C'est… c'est n'importe quoi. Pour commencer, je sors avec lui.

Elle se raidit presque imperceptiblement, mais je la connais par cœur et je ne suis pas aveugle.

— Oui, c'est ce que j'avais cru comprendre en vous voyant vous tenir la main et vous lécher la langue dans les couloirs.

— Oui, bon... Bref. Il est fou de rage parce qu'il a découvert que j'ai embrassé Drew...

— Attends. Quoi ? Tu as embrassé Drew ? Quand ? Où ? Oh là là, comment ça se fait que je ne sois même pas au courant ?

Elle écarquille les yeux et je crois que son ravissement est sincère, mais je devine qu'elle se sent malgré tout un peu trahie. J'aurais dû le lui dire depuis des jours, je le sais bien. Je me force à sourire malgré tout : comme elle, je fais semblant qu'il n'y a ni malaise ni rancœur entre nous.

— Oui, on s'est embrassés.

— C'est tout ? Non... Tu peux faire mieux que ça. C'était quand, d'abord ?

— Il y a quelques semaines.

— Et c'était un chaste bisou juste histoire de dire ou un truc à en faire trembler les murs, que tu as ressenti jusqu'au bout de tes orteils ?

Maintenant que j'y pense, j'en ai la chair de poule. Je sens le rouge me monter aux joues.

— Je le savais ! s'écrie-t-elle avec un sourire machiavélique. J'étais sûre que tu finirais par te le taper.

L'employée qui s'occupe d'April étouffe un petit gloussement.

— Je ne me le tape pas : on s'est juste embrassés. C'est tout. Enfin presque. Mais de toute façon...

— Comment ça, presque ? Quoi d'autre ? Tu es obligée de cracher le morceau, ma vieille. C'est dans le contrat de meilleure amie.

Je jette un coup d'œil gêné à notre public avant de me pencher à son oreille.

— On s'est embrassés dans les bois. Et c'était à mourir. Juste génial. Et il…

Je soupire, mal à l'aise. Je n'ai jamais été le genre de fille à parler de ces trucs-là. À personne. Jamais.

— Disons que je me suis retrouvée à moitié à poil. Et lui aussi.

Elle ouvre de grands yeux.

— Quelle moitié ?

— April ! (Je la fusille du regard, mais je rends vite les armes.) La moitié supérieure.

— Même pas de soutien-gorge ?

Elle parle bas, mais fais moins d'efforts que moi pour murmurer. La fille en face d'elle va renverser son dissolvant d'une minute à l'autre.

Je baisse un peu plus la voix.

— Non. Pas de soutien-gorge, non.

— Ma petite Renley… Que t'arrive-t-il ces derniers temps ? Mon bébé grandit tellement vite !

— Pitié, tais-toi ! Enfin bon, je ne trompais pas Seth ni rien puisque, lui et moi, on n'était pas encore ensemble. Mais il a découvert ce qui s'était passé et, je ne sais pas pourquoi, il a pété un plomb.

April fait la moue, parce que, oui, c'est totalement ridicule.

— Alors on en a parlé, on s'est réconciliés, et je me croyais sortie d'affaire. Sauf qu'aujourd'hui après les cours, je suis tombée sur Seth et Drew en train de discuter dans un couloir. C'était plutôt houleux. Et Drew a laissé échapper que j'avais passé la nuit précédente chez lui…

April tique à nouveau, mais je continue.

— Et Seth a essayé de le frapper.

— Très mauvaise idée.

— Exact. Drew l'a étalé d'un seul coup de poing.

— Pas étonnant.

— On est d'accord. Le pire, c'est que je ne suis même pas allée l'aider à se relever. Je ne me sentais pas capable de le regarder en face. Qu'est-ce que je vais lui dire ? « Je jure que j'ai dit la vérité, il n'y a rien entre Drew et moi. Ah oui, j'oubliais, non seulement on s'est embrassés mais j'ai passé la nuit dernière dans son lit, et il était en sous-vêtement. Mais on est juste amis. Ce n'est pas si dur à comprendre, si ? »

April s'esclaffe.

— Oui, mais d'ailleurs pourquoi ? Enfin, je sais que tu passes tout le temps la nuit chez lui d'habitude, mais maintenant tu as un copain. Ce n'est pas très cool pour Seth.

Je me renfonce dans mon siège.

— Je sais bien. Et il ne s'est vraiment rien passé. Je n'allais pas bien du tout la nuit dernière, et ce n'est pas comme si je pouvais t'appeler. Alors j'ai discuté avec Drew et je me suis endormie.

Elle se raidit de plus belle mais le dissimule avec un pseudo sourire de compassion.

— Bah, Seth va s'en remettre. Et sinon, qu'il aille se faire voir.

— On est d'accord.

Je me renverse contre le dossier tandis qu'on m'applique le vernis au bout des ongles.

— Eh, on n'a même pas encore parlé de toi. Quoi de neuf ?

Elle se mordille la lèvre.

— Oh, pas grand-chose…

— Menteuse.

— Non, rien, vraiment. Je sors toujours avec Cash. Je mets toujours de l'argent de côté pour aller à New York. C'est tout.

— Comment va ton frère ?

Elle détourne les yeux.

— Bien.

— Et ?

Elle finit par céder, clairement exaspérée.

— Il… Il a décidé de s'enrôler dans l'armée. Comme je le craignais.

Je ne sais pas trop quoi répondre.

— Est-ce que… Quand est-ce qu'il part ?

— Ses classes commencent en décembre. Du coup, en ce moment, il passe tout son temps avec ses potes et il fait comme si je n'existais pas. Mais je m'en fiche.

Je n'y crois pas une seconde. Les larmes lui noient les yeux et menacent de couler. Je remue nerveusement la jambe. Quand April pleure, je ne sais jamais comment réagir. J'hésite toujours à la prendre dans mes bras, ce n'est pas trop son truc. Enfin, surtout pas maintenant, étant donné que j'ai les mains prises. Et puis j'ai dû la voir pleurer deux fois en tout et pour tout. Donc, comme à chaque coup, je reste les bras ballants, sans savoir quoi faire.

— Je suis vraiment désolée, April. Ça craint.

— C'est ça le truc. Je n'ai pas le droit de penser que ça craint, visiblement. Ce n'est pas comme s'il partait un an en Europe pour trouver sa voie, c'est dangereux… O.K., il a décidé de servir son pays, c'est une cause noble. Je sais que c'est censé être admirable, mais… Mes parents ne parlent que de ça, alors si j'émets le moindre doute, je passe pour une traître à la patrie. Or ce n'est pas la question.

— Je sais.

— C'est juste que j'ai peur qu'il ne revienne pas. C'est tout. Bref, c'est rien.

— Si, un peu, quand même.

Elle lève les yeux au ciel.

— Tu ne m'aides pas du tout, là. Pas la peine d'en faire une montagne. Mon frère s'en va faire l'armée, et tout ira bien. Affaire classée. Inutile d'en parler.

J'ai l'impression qu'elle pense : *« Pas à toi en tout cas. Tu n'étais même pas là quand ça s'est produit. »*

Je dissimule la honte qui me tord l'estomac derrière un sourire.

— On se fait un *frozen yogurt*, après ? Les glaces, c'est le remède miracle à tout.

Elle sourit sans conviction.

— Ça marche.

TUTO N°22 : SE TRANSFORMER EN IT-GIRL

Assise devant l'ordinateur, je fais défiler mes vidéos. On peut dire qu'elles ont pas mal de succès. Le nombre de vues est encore en progression, mon compte PayPal croît plus qu'honorablement. En fait, quand je fais le calcul, je… je suis en bonne voie, et il me reste encore beaucoup de temps ! Si mon père et Stacey acceptent bien de mettre la main à la poche, ça devrait passer sans problème. On en a discuté hier soir, au dîner, pendant près d'une heure. Enfin, c'est surtout moi qui en ai parlé. Ils m'ont dit oui sur le principe. Un grand sourire aux lèvres, je tournoie sur ma chaise de bureau, deux fois, trois fois, avant de retourner à mon clavier.

Je fais défiler quelques questions. SUPPRIMER. SUPPRIMER. Garder pour plus tard. Et voilà, c'est terminé. Vu la somme que j'ai commencé à récolter, ça n'aura pas été un travail trop harassant. Je suis satisfaite de mon génie entrepreneurial. Mais ma joie est de courte durée : on frappe à la porte d'entrée. Je flanche aussitôt.

Avant même de descendre les escaliers, je sais de qui il s'agit. J'ouvre la porte, le cœur lourd.

— Salut, Seth.

Il porte un gros manteau. Dehors, la neige tourbillonne et un courant d'air glacial s'infiltre dans la maison pour venir m'envelopper.

— Je peux entrer ?

— Je t'en prie.

Il franchit le seuil sans me regarder.

— Tu veux monter ?

— O.K.

Il pend son manteau dans le vestibule et monte avec un air nonchalant qui me semble beaucoup trop forcé.

Résignée, je lui emboîte le pas, de plus en plus nerveuse à mesure qu'on approche de ma chambre et de l'inévitable confrontation qui va s'ensuivre.

— Ça va, ton nez ?

Il est encore rouge, et même violacé par endroits. Son œil gauche a une drôle d'allure, lui aussi. Mais c'est plutôt logique : le coup date d'hier seulement, je ne sais pas à quoi je m'attendais.

— Ça va. Pourquoi cette question ?

Avec un profond soupir, je m'installe sur ma chaise de bureau.

— J'ai assisté à la scène. Entre Drew et toi.

Il n'a pas l'air plus surpris que ça.

— J'avais bien cru voir une silhouette aux cheveux blonds détaler quand je me suis relevé.

— Alors…

— Alors, répète-t-il.

— Qu'est-ce que tu veux faire ?

Il regarde un instant par la fenêtre, puis se tourne vers moi.

— Je n'ai pas envie qu'on se sépare. Enfin, je ne crois pas.

Je déglutis avec la plus grande difficulté.

— Je vais tout te dire. Tu n'as qu'à demander. Je te promets de ne pas te mentir.

Il me regarde droit dans les yeux.

— Que s'est-il passé l'autre nuit ? Tu as vraiment dormi chez lui ?

J'aurais dû me douter qu'il commencerait par là, mais sincèrement j'espérais qu'il la joue détecteur de mensonge. Qu'il commence par des questions test. De quelle couleur est le ciel ? Quel mois sommes-nous ? Décline tes nom et prénom… Est-ce que tu aimes m'embrasser ?

— Je passais une journée compliquée. Vraiment horrible, en fait. Des soucis avec ma mère, enfin bref… Et comme, avec April, on ne se parlait plus…

— Qui ça ?

J'en reste bouche bée. Comment mon copain peut-il ignorer qui est April ? À moins que… Mais oui. Je ne lui ai jamais parlé d'elle, précisément parce qu'avant hier, je ne l'avais pas vue une seule fois depuis qu'on est ensemble, lui et moi. Ça me fait l'effet d'une gifle.

— Euh… April, c'est ma meilleure amie.

— Je croyais que c'était Drew, ton meilleur ami.

— Oui, Drew c'est mon meilleur ami garçon. Et April ma meilleure amie fille. Il y a une grosse différence.

— O.K.

Sur les charbons ardents, je me tords littéralement les doigts. Je donnerais cher pour qu'il me tienne la main comme avant…

— Donc on traversait une mauvaise passe avec April. Et ma mère est… disons qu'elle loin d'être aussi sympa que la tienne. Donc j'avais passé une journée vraiment pourrie, et il était très tard mais comme j'étais en train de péter les plombs, je suis montée sur le toit et je me suis mise à pleurer. Drew m'a entendue et il m'a proposé de passer chez lui. Et je me suis endormie. C'est tout. Je te promets qu'il n'a rien tenté. Et j'étais habillée.

— Et lui ?

— Non. Mais il n'était pas à poil non plus.

Seth s'assied enfin. Appuyé dos au mur, il se masse les tempes un long moment.

— Ça ne me plaît pas… mais pas du tout.

— Je sais.

— Qu'est-ce qui se passe entre vous ? Il est amoureux de toi. Tu dis que ce n'est pas réciproque. Mais tu vas passer la nuit dans son lit, ce que, d'après lui, tu fais régulièrement depuis deux ans, d'ailleurs. C'est vrai ?

— Oui. Oui, mais justement, c'est la preuve que l'autre fois, ma présence chez lui ne signifiait rien. On n'a jamais couché ensemble. Tu peux lui demander. C'est une habitude, c'est tout.

— Tu te rends compte à quel point c'est tordu ? Si tu découvrais que j'ai passé la nuit chez Taylor, même si on n'a jamais couché ensemble, tu serais hors de toi.

— Je sais. Et je te quitterais sûrement, pour être honnête. Je crois… je crois que je croise les doigts pour que tu sois plus tolérant que moi.

Il se mordille les lèvres, les mains sur les genoux.

— Je ne sais pas si je peux être aussi tolérant que ça, Renley.

Les larmes me montent aux yeux, alors je contemple le sol.

— Je suis vraiment désolée, dis-je d'une petite voix.

— S'il te plaît, ne pleure pas.

— Je suis trop bête. Qu'est-ce qui ne va pas chez moi ? Je craque pour toi depuis des années et au bout de deux semaines je gâche déjà tout à cause d'un garçon avec qui je n'ai aucune envie de sortir.

Une étincelle d'espoir s'allume au fond de son regard. j'en profite pour ravaler mes larmes. Je me refuse à les laisser couler.

— C'est vrai ? Tu peux me regarder en face et me jurer, sincèrement, que tu ne veux pas sortir avec lui ?

Je le fixe droit dans les yeux.

— Seth, Drew ne m'intéresse absolument pas. C'est toi qui me plais.

— Écoute, j'hésite…

— C'était une grosse bêtise ! Je l'ai fait par habitude et parce qu'avoir un copain, c'est tout nouveau pour moi. Mais je sais que c'est ultra bizarre et je te jure que c'est la dernière fois. Je te le promets. Et si tu préfères qu'on arrête les frais, je comprends. Je serai anéantie, mais je peux comprendre.

— Je n'ai pas envie de rompre, Renley.

— C'est vrai ?

Il se lève.

— Oui. Je suis fou de toi. Je veux juste éviter de me réveiller un matin pour découvrir que je sors avec une fille qui ne pense qu'à un autre. Pas si je m'autorise à tomber amoureux de toi.

— Ça n'arrivera pas.

Une main sur la nuque, il regarde la neige tomber par la fenêtre.

— J'ai besoin d'y réfléchir, d'accord ? Et je crois que toi aussi.

— Non je…

— Si. Si tu veux être avec Drew, je t'en prie, vas-y. Mais il faut que tu te décides. Compris ?

Je me mords la lèvre avant d'acquiescer.

— On se voit au lycée.

— À demain…

Je reste assise à triturer mon jean et à me rejouer la scène en boucle. Merde. Qu'est-ce que je vais faire ?

Le lendemain matin, je me rends à l'école à pied. Il fait un froid polaire mais la seule autre option, c'était de demander à Seth de m'emmener, et je veux lui laisser un peu de temps avant de me voir, au moins jusqu'au cours de cuisine de ce soir. Je n'ai pas envie de lui mettre la pression pour qu'il prenne une décision trop hâtive. Alors je marche dans la bise glaciale, en serrant son blouson autour de moi.

Je déjeune avec April pour la première fois depuis que je sors avec Seth. C'est agréable – du moins ça le serait sans la sensation de malaise qui m'étreint. Une peur horrible me noue l'estomac.

Je subis en silence le cours de littérature tandis qu'un nœud coulant imaginaire se resserre autour de mon cou, puis je me dirige à pas lents vers l'atelier cuisine, comme si je montais à l'échafaud. Seth est déjà là. Je me glisse à côté de lui.

— Salut, dit-il.

Je relève la tête pour mumurer :

— Salut.

M. Cole a prévu un cours magistral aujourd'hui, donc nous ne pouvons même pas chuchoter sous couvert de faire semblant de cuisiner, mais Seth m'effleure les doigts. Je ne crois pas que ce soit un accident. C'est forcément bon signe. Je gigote sans écouter un mot de la leçon, aussi effrayée qu'impatiente qu'elle se termine.

Quand la sonnerie retentit, Seth me prend par la main et m'emmène dans la cour. Assis par terre sur le béton, nous fixons le sol jusqu'à ce qu'il ouvre la bouche.

— Est-ce que tu me connais, Renley ?

— Quoi ?

— Est-ce que tu me connais vraiment ? Je te demande de choisir ici, entre Drew et moi, et je veux que tu prennes ta décision en connaissance de cause.

— Euh… je crois que oui.

Il me scrute, dubitatif, et joue avec mes doigts d'un air absent.

— Tu savais que je jouais au foot ?

— Non. Dis-moi tout. Je veux savoir.

— D'accord. Je joue au foot, à peu près décemment d'ailleurs. Je suis juif, mais ça tu le savais. Mes parents se sont rencontrés à l'armée. Hum, voyons voir. J'aime la randonnée. Et mon petit secret honteux, c'est que je suis un collectionneur de cartes Magic.

Je lui jette un regard narquois.

— Sérieusement ?

— Oui.

— Tes parents se sont rencontrés dans l'armée ? Je ne l'aurais jamais deviné…

Il sourit.

— Alors, tu occupes quel poste au foot ?

— Avant-centre.

— Tu es dans l'équipe du lycée ?

Il fait signe que non.

— À cause de Shabbat. Ne pas pouvoir aller aux entraînements ou aux matchs le vendredi soir ou le samedi, ça faisait trop d'absences.

— Parle-moi de ta religion. Tu ne peux pas manger de porc et tu dois attendre le mariage pour faire l'amour, c'est ça ?

Il me jette un regard en coin.

— Oui. Le judaïsme en résumé, fait-il, sarcastique. Pas de cochon, pas de fornication. Tu as tout compris.

L'ironie perce dans sa voix. Dans toute son attitude. Je lui donne un coup de coude.

— Oh, la ferme ! Ce n'est pas ce que je voulais dire.

— Voilà. C'est moi. Tu sais tout.

Je m'adosse contre le mur de brique rouge.

— Je sais tout.

— Alors. Maintenant quoi ?

Je serre ses doigts.

— Seth, je ne sors pas avec Drew, et je ne veux pas être avec lui, mais avec toi. Je te le promets.

— Tu en es sûre ?

— Certaine.

Il saisit mon visage dans ses mains et murmure :

— D'accord.

Ses lèvres se posent sur les miennes.

— On s'en va ?

— Allons-y.

Nous traversons le parking main dans la main.

— Il y a un restau qui fait des burgers pas loin. Tout le monde y est déjà.

« Tout le monde », c'est-à-dire qui, exactement ? Je n'en ai pas la moindre idée, mais… pourquoi pas !

— O.K.

Quand nous nous rangeons le long du trottoir, je découvre à travers les vitres que tous les élèves dont tout le monde parle mais à qui personne ne parle pour de vrai sont présents. J'en reconnais plusieurs qui étaient présents à la soirée dans les bois.

— Viens, me dit Seth.

Il m'entraîne dans le restaurant bondé et nous nous installons à une table déjà bien encombrée. Les murs sont tapissés de rouge et de gris. Quelques mètres plus loin, j'aperçois Taylor. Pas de doute, si on pouvait tuer d'un regard, je serais morte. Je m'aperçois soudain que la jolie brune qui regardait mes tutos le soir du feu de joie est ma voisine.

— Salut, Seth ! Et… Renley, c'est ça ?

Je lui fais un petit signe de la main, avant d'ouvrir de grands yeux. Oh non ! Elle connaît mon nom (ce qui me choque au plus haut point, soit dit en passant) et moi je… j'ai oublié le sien. J'ai envie de ramper sous la banquette.

Elle s'esclaffe en voyant mon visage troublé.

— C'est Sam, me rappelle-t-elle gentiment.

— Oups… Désolée ! Je sais qu'on avait été présentées. Mais tu as une sacrée mémoire, comment se fait-il que tu te rappelles mon nom ?

Hilares, la petite bande de filles échange des regards entendus.

— Tu plaisantes, j'espère ? lance Sam. (Prise de court, je reste muette.) Tu sors avec Seth, ce qui est déjà remarquable en soi. Mais, surtout, tu l'as soufflé à Taylor, ma cochonne. Et ça, ça fait de toi une célébrité !

C'est dit avec un large sourire, donc je ne sais pas trop si c'est une insulte ou un compliment tordu.

— Il faudra que tu m'expliques comment tu as fait, d'ailleurs. Et puis, regarde-toi. Tu es trop belle.

Je suis abasourdie. Le petit groupe éclate de rire. J'ai l'impression d'être entrée dans la *Quatrième Dimension*... L'image de Drew me traverse fugitivement l'esprit, mais je l'en chasse aussitôt. Info bien plus cruciale : je me serais apparemment transformée en déesse sans en avoir conscience.

— Euh... Merci.

À côté de Sam, une de ses copines – petite, aux formes pulpeuses – est penchée sur son téléphone.

— Ça va cinq minutes, Sophie, arrête de faire ton asociale !

L'intéressée devient rouge comme une tomate, un problème qui me la rend sur-le-champ très sympathique, mais rétorque :

— Deux minutes, je ne l'ai pas encore regardé, celui-là.

— Depuis quand tu as besoin de conseils pour faire disparaître un suçon ?

— Depuis que Gary m'a sauté dessus, hier soir.

Cette nouvelle déclenche un concert de critiques. Je me sens un peu perdue alors je me tourne vers Seth, qui me caresse le genou. Il se montre bien plus tactile que d'habitude – sans doute à cause de notre dispute. Je ne saisis pas très bien : ce n'est pas plutôt moi qui devrais essayer de me racheter ? Mais admettons. Soudain, les mots « *Sweet Life* » attirent mon attention.

— Vous regardez encore ce truc ? demandé-je.

— C'est bourré d'astuces utiles. Pas facile de planquer un suçon, tu sais, répond Sophie.

— Oh, mais elle sait, tu peux en être sûre, me lance Sam avec un grand sourire.

Je crois bien que cette fille me cherche. Je ne réplique pas. Inutile.

— J'adorerais te fournir une excuse pour utiliser ces infos un peu plus tard, me murmure Seth à l'oreille.

Je me sens rougir. À l'autre bout de la table, les filles échangent des sourires malicieux.

— Tu n'as jamais entendu parler de *Sweet Life* ? me demande Ash.

— Une fois ou deux. Au feu de joie, par exemple.

— Ah oui… intervient Sam. Tu étais là ! Tu devrais t'abonner. Je suis sûre que Seth apprécierait. (Elle m'adresse un clin d'œil qui me fait rougir de plus belle.) Ou peut-être que tu devrais plutôt le lui faire lire. Je suis sûre que tu ne le regretterais pas.

Avec un rire, j'entremêle mes doigts à ceux de Seth sous la table. Il me sourit comme si nous partagions un petit secret.

— Je ne crois pas que tu aies besoin d'aide d'aucune sorte dans ce domaine, lui dis-je.

Il m'embrasse dans le cou. Aussitôt, j'ai la chair de poule et le souffle court.

— Toi non plus, murmure-t-il.

Quand je relève la tête, je croise une fois de plus le regard assassin de Taylor. Elle commence à me faire peur, à force. Il va vraiment falloir qu'elle se fasse une raison… Heureusement, le serveur arrive à notre table.

— Un milkshake à la fraise, s'il vous plaît.

Seth lève deux doigts pour signaler qu'il en prendra un, lui aussi. J'en ai l'eau à la bouche.

Le serveur revient assez vite avec notre commande. Sam et les autres échangent des regards surpris en découvrant ma boisson. Toutes sirotent apparemment des sodas sans sucre.

Tout à coup, mon choix ne me paraît plus si judicieux mais, si je change d'avis maintenant, je vais avoir l'air d'une girouette. Je me force donc à déguster mon milkshake, qui a un goût amer, à présent.

Cinq minutes plus tard, les filles se lèvent toutes d'un seul homme. Au bout d'un instant, elles posent sur moi un regard appuyé.

— Quoi ?

— On va aux toilettes, dit Ash.

— Ah ?

— Tu ne viens pas ?

— Euh… si. J'arrive.

Eh bien, allons-y… C'est une espèce de signal, je crois : je fais partie du groupe.

Je m'extrais de mon siège pour les suivre. Chacune disparaît dans une cabine. Au moment où leurs portes se ferment, celle derrière moi s'ouvre, et Taylor en émerge. Je manque de m'étrangler.

— C'était Renley, c'est bien ça ? dit-elle d'une voix sucrée que je trouve parfaitement terrifiante.

— Et toi Taylor ?

Elle se penche au-dessus du lavabo défraîchi pour se remettre du gloss.

— Oh arrête. On sait tous que tu connais mon nom.

— Je…

Elle me détaille de la tête aux pieds.

— Quoi ? Il ne l'a pas encore crié quand vous faisiez l'amour, c'est ça ?

J'en reste bouche bée.

— On n'a pas couché ensemble !

— Je m'en doute. Je suis bien placée pour le savoir. On est sorti ensemble plusieurs années, tout de même. Au fait, tu ne m'en veux pas, j'espère ? Pas de rancœurs mal placées, O.K. ?

Je recule le long du comptoir pour m'éloigner de cette vipère.

— O.K…

— Mais juste pour info… lance-t-elle avant d'ouvrir la porte. Hier, après votre petite dispute, quand il t'a dit qu'il avait besoin de « réfléchir », c'est moi qu'il est venu voir.

Avec un sourire carnassier, elle referme le battant derrière elle. J'en suis encore tout ébahie quand les trois autres filles sortent chacune de leur cabine en même temps.

— Elle est vraiment horrible, lâche Sam.

— Oui, enchaîne Sophie. Ça faisait un bail qu'on attendait qu'ils cassent.

Avant de sortir, Ash me sourit et agite ses mains trempées vers moi pour m'asperger. Plusieurs fois.

Je la fusille du regard, de l'eau partout, jusque dans les cheveux.

Tuto n°1 : Embrasser comme une déesse

Elles sortent sans moi.

Vraiment génial. Je crois bien que je fais partie du groupe.

DÉCEMBRE

TUTO N°23 : SOIGNER UNE GUEULE DE BOIS (ENTRE AUTRES)

J'ai mal. Mal partout. J'aurais presque envie de mourir, sauf que je refuse que mes derniers instants sur Terre ressemblent à ça. J'attrape la boîte d'aspirines que j'ai laissée près de mon lit hier soir en cas de besoin et j'avale deux comprimés avec un grand verre d'eau. Que disait Google, déjà ? Une boisson énergétique ? Oh je m'en fiche, je n'ai pas la moindre envie de boire un truc pareil. Je ne veux rien. À part mourir. Nous y revoilà.

Mon père frappe à la porte et je jure que, de sa vie, il n'a jamais rien fait avec plus d'entrain. Ma tête me lance un peu plus à chaque coup.

— Quoiiiiiii ?

Il ouvre prudemment.

— Ma puce ? Tu te sens bien ?

— Non, dis-je le visage enfoui dans l'oreiller.

Et par pitié. Parle. Moins. Fort.

Sur la pointe des pieds, il vient s'asseoir au bout de mon lit.

— Qu'est-ce qui ne va pas ?

— Rien. J'ai juste mal à la tête. Et la gorge sèche. Il me faut simplement une aspirine et une bonne sieste. (Je ferme les yeux.) Tu peux éteindre la lumière ?

Il se lève pour éteindre avant de se rasseoir.

— Tu as de la fièvre ?

Il avance une main vers mon front.

— Non. Pitié, ne me touche pas. S'il te plaît.

Il s'arrête net et hume l'air.

— Est-ce que… Leelee, c'est de l'alcool que je sens ?

— Papa, va-t'en. S'il te plaît.

— Tu sens l'alcool… Tu as bu ?

— Non.

La tête toujours dans l'oreiller, je le sens qui s'approche pour me renifler.

— Ça sent la bière. Tu as bu. Je le sais.

— On s'en fiche.

— Pas moi. C'est dangereux, ma puce. J'ai cru que tu allais mieux quand tu as arrêté de coucher avec ce garçon…

— Je n'ai jamais couché avec lui, Papa !

— Et voilà que tu te mets à consommer de l'alcool dans une soirée ? Seth était là ?

Oh non… On ne va tout de même pas ébrécher l'image du gendre idéal !

— Oui. Mais il n'a pas bu.

Perplexe, mon père se frotte la nuque.

— Mais… il t'a laissée faire ?

— Oui, c'est ça. Je lui ai demandé la permission et quand il m'a donné sa bénédiction j'ai bu touuuut l'alcool que j'ai pu.

Il secoue la tête, consterné. Apparemment, les pères qui croient que leur fille est en train de se transformer en délinquante perdent tout sens de l'humour.

— Tu ne peux pas continuer comme ça.

— Sors de ma chambre.

— Leelee…

— Sors d'ici !

— Je…

Il lève une main qui retombe mollement sur le lit, puis sort à pas lents, vaincu. En temps normal, je me sentirais mal après cet échange. Mais ma souffrance est inouïe : au-delà d'elle, je n'éprouve plus rien. Donc il n'y a pas de place pour la culpabilité dans ma tête ravagée par la terrible migraine et les souvenirs affreux de la soirée d'hier, où je me suis montrée d'un ridicule achevé. Encore un autre truc auquel j'aimerais éviter de penser. Mais je vais le faire quand même. Puisque, manifestement, je conçois pour moi-même une haine sans limite.

Une semaine après ma réconciliation avec Seth, Sam l'a appelé pour nous inviter à une soirée chez elle. C'était censé être génial, « tout le monde » serait là. Cette fois, au moins, je savais qui était « tout le monde » – en gros, tous les élèves avec qui nous venions de passer la semaine, ce qui me semble encore aujourd'hui un peu irréel.

Samedi soir (hier donc) est arrivé, et nous nous sommes rendus à cette fête, qui ressemblait à toutes celles qu'on voit dans la grande majorité des films pour ados. Des voitures partout, des couples dehors en train de s'embrasser dans le noir, un paysage enneigé pour achever le tableau.

Nous sommes tout de suite entrés parce qu'il faisait un froid terrible. Pourquoi se rouler des pelles au pôle Nord quand on peut le faire au coin du feu, je vous le demande ? J'avoue que je ne comprenais pas – et que je ne comprends toujours pas.

— Renley ! s'est écriée Sam à notre arrivée.

Elle a traversé la foule de corps qui se trémoussaient au milieu du salon pour jeter ses minuscules bras autour de mon cou, comme si on était les meilleures amies du monde depuis toujours. Et comme si elle ne me haïssait pas en secret et ne me traitait pas en permanence de tous les noms synonymes de « fille facile ».

— Sam ! ai-je répondu avec le même enthousiasme feint dans la voix.

— Trop contente que tu sois venue. Tu es trop belle ! Magnifique !

Ce qui était assez vrai. Ce pantalon me faisait des fesses incroyables et le haut moulait pile les bons endroits et révélait juste ce qu'il fallait de poitrine et de ventre. J'ai renchéri :

— Et ta tenue, j'adore ! On dirait qu'elle sort tout droit de *Vogue* !

Avec un grand sourire, elle m'a attrapé la main.

— Viens, on va te chercher une bière, ma belle. Ou un shot. Tu veux un shot de quelque chose ?

Je l'ai suivie dans la cuisine. Où avait-elle bien pu dénicher tout cet alcool ? Elle avait dû distiller elle-même un champ entier d'agave pour pouvoir se procurer autant de tequila, ma parole !

Elle m'en a versé un shot pendant que je l'observais avec attention au cas où elle tenterait de mettre quelque chose dedans. Les amis de Seth me rendaient parano. Mais tout ça était sans doute dans ma tête : aucune de ces filles ne me détestait pour de vrai. Elles passaient juste leur temps à cracher les unes sur les autres. Bienvenue au club.

— Tiens.

Elle m'a versé un peu de sel sur le dos de la main et m'a tendu une tranche de citron vert. Puis elle a préparé son propre shot.

— Lèche le sel.

Je me suis exécutée.

— Shot ! a-t-elle hurlé.

J'ai basculé la tête en arrière, et englouti la tequila. Ça m'a littéralement brûlé la gorge. J'en ai eu les larmes aux yeux…

— Citron !

Elle a sucé le citron avec une grimace. Moi, j'ai mordu dedans avec ferveur avant de secouer la tête, lèvres et paupières crispées… je crois même que mes joues se sont contractées.

Seth a éclaté de rire.

— Tu commences fort, à ce que je vois !

Pffffff, ça va être chaud !

— J'ai… Eh ben ! Ça monte vite à la tête, dis donc ! ai-je répondu.

Il m'a attrapée par le coude pour me soutenir tandis que Sam lâchait un rire brumeux.

— Encore un, allez !

On a répété le processus et après le deuxième shot, mes jambes se sont mises à flageoler. Je commençais à avoir l'esprit embrouillé et une chaleur étrange se répandait dans mon corps.

— Tu bois ? ai-je demandé à Seth.

— Non, je conduis. Mais vas-y, toi.

— Non, c'est bon, je crois. Ouh là, je me sens toute bizarre !

Je devrais peut-être continuer, remarque, ai-je pensé. Plusieurs questions posées à SweetLifeCoach se sont mises à tournoyer dans ma tête. Sur-le-champ, j'ai décidé de traiter le sujet « Comment soigner une gueule de bois », curieuse de savoir quelle audience supplémentaire ce tuto pourrait me rapporter.

J'avais déjà effectué mes recherches préliminaires, d'ailleurs, juste au cas où. Pour être honnête, je crois que j'étais allée à cette soirée dans le but inavoué de me soûler pour passer à l'étape pratique.

J'ai pris une profonde inspiration et fait des moulinets avec mes bras.

— Bon, Sam, qu'est-ce que tu me proposes d'autre ?

— Tu veux te bourrer la gueule ?

— Oui, ai-je rétorqué alors que je me sentais déjà un peu chancelante. Je suis venue pour ça, figure-toi.

— D'accord, attends-moi là.

— Qu'est-ce que tu vas lui donner ? lui a demandé Seth.

Elle n'a pas répondu. Quand elle est revenue, trois minutes plus tard, elle m'a tendu une boisson additionnée de glaçons. Seth a aussitôt intercepté le verre pour le porter à ses lèvres.

— Un Long Island ? Sam, Renley n'a jamais bu plus d'une gorgée de bière en une seule soirée.

Notre hôte a haussé une épaule indifférente.

— Elle a dit qu'elle voulait boire, a-t-elle rétorqué.

— Oui, boire. Pas faire un coma éthylique.

J'ai attrapé le gobelet.

— Je suis une grande fille, Papa.

Et j'ai bu une grande gorgée. Ouh là... Moi qui croyais que la tequila, c'était fort. J'aurais peut-être dû manger un peu plus avant de venir.

— N'y va pas trop fort, quand même, a gloussé Sam.

— Où est-ce que tu as trouvé tout ça ? ai-je demandé de ma voix déjà un peu pâteuse.

Je ne tenais absolument pas l'alcool – la honte totale.

— Mes parents ont un bar plein à craquer au sous-sol. On va le vider ce soir. Ils s'en fichent complètement.

J'ai acquiescé et ce simple hochement de tête m'a donné l'impression que j'allais tomber à la renverse. J'ai ensuite titubé de la cuisine jusque dans le salon. La pièce était prise d'assaut par une véritable marée humaine. Les élèves dansaient serrés les uns contre les autres ou se frayaient un chemin dans la foule avec une aisance consommée. Les basses, poussées à fond, se réverbéraient dans ma poitrine et faisaient vibrer toute la pièce. Une fois parvenue au milieu de la salle avec Seth, j'ai bu une autre gorgée. À ce stade, je saisissais de moins en moins clairement ce qui se passait autour de moi.

Je me suis tournée vers Seth pour lui sourire d'un air rêveur.

— Viens. Danse avec moi.

Enchanté, il a posé les mains sur mes hanches. Alors je me suis frotté contre lui de haut en bas avant de remonter pour glisser les mains dans ses cheveux.

Comme il avait les yeux fermés et la tête rejetée, j'ai recommencé mon manège puis repris une nouvelle gorgée. La douce chaleur avait gagné mes extrémités. Mon regard se troublait de plus en plus.

Je me suis mordu la lèvre en voyant Taylor passer à notre hauteur. Elle nous a observés un instant, un bref éclair de tristesse dans le regard. Depuis ses déclarations au restaurant une semaine plus tôt, elle n'avait plus fait preuve de la moindre agressivité. Mais l'alcool a repris le dessus assez vite et j'ai oublié ma rivale. Quelques bières et quelques chansons plus tard, je l'ai croisée en train de pleurer aux toilettes et je n'en ai plus rien pensé du tout.

Après un bon moment passé à danser en faisant de mon mieux pour éviter Taylor, j'ai commencé à en avoir marre de me faire bousculer par des corps en sueur et je me suis penchée vers Seth pour lui murmurer :

— Viens, on monte. Il y a trop de monde ici.

Il s'est dandiné d'un pied sur l'autre, un peu hésitant, mais vu mon état, j'allais forcément prendre bon nombre de mauvaises décisions ce soir-là. Et il allait plonger avec moi, le pauvre.

Il m'a laissée l'entraîner à l'étage, comme je m'en doutais, et à la seconde où nous avons refermé la porte d'une chambre derrière nous, je lui ai littéralement sauté dessus. Je n'en suis pas fière : apparemment, la Renley bourrée est une Renley cinglée, agressive et à l'appétit sexuel débordant. Mais sur le moment, j'avais l'impression d'être super sexy. Je n'avais toujours pas parlé à Seth des allégations de Taylor la semaine précédente, et je n'en avais aucune intention. Ce que je comptais faire, en revanche, c'était gagner. Et pour une raison qui m'échappe complètement à présent, il me semblait clair que cette tactique m'apporterait la victoire.

Collée à lui, ma langue fourrée dans sa bouche, je laissais mes mains baladeuses lui retirer sa chemise. Je me suis rendu compte en cet instant que je ne l'avais jamais vu torse nu. Quel crime !

— Renley, a-t-il murmuré contre mes lèvres. Ralentis un peu, O.K. ? Je ne sais pas trop si…

À ce moment-là, je me rappelle très distinctement avoir commencé à me déshabiller. Oui. On sortait ensemble depuis trois semaines, donc brillante idée. Mais au moins, ça l'a fait taire. Et quand je me suis retrouvée en jean et en soutien-gorge, sa mâchoire a failli se décrocher.

— Qu'est-ce que tu disais ? ai-je murmuré d'une voix langoureuse.

À ce moment-là, je crois que j'ai savouré sans retenue l'incroyable sensation que me procurait l'alcool. Maintenant, je me sens juste horriblement gênée.

Quand on n'est pas maître de soi à cent pour cent, les conséquences le lendemain matin sont… pour le moins embarrassantes.

Sans lui laisser le temps de répondre, je me suis à nouveau jetée sur lui – le terme d'« agression » serait sans doute plus approprié. Heureusement, il a fini par se dégager.

— Écoute, il faut que tu te calmes. J'adore t'embrasser, c'est vrai. Mais tu es… tu es complètement torchée. Et moi pas du tout. Je n'ai pas l'intention de tirer… Attends… Non, Renley, repose ce verre.

Oui, j'étais encore en train de boire. Je n'allais pas laisser passer ma chance de me réveiller avec la gueule de bois. (Et je n'allais pas tarder à le regretter !)

Assise sur le lit, je l'ai regardé avec de grands yeux que j'espérais attendrissants, puis j'ai boudé en entortillant mes doigts dans mes cheveux. Il a passé un bras autour de mes épaules.

— Écoute, tu ne tiens pas l'alcool, il n'y a pas de honte à ça. Mais deux shots de tequila et un Long Island, c'est la recette de la catastrophe, dans ces cas-là.

Je l'ai embrassé sur la joue. Puis l'oreille. Puis le petit espace juste sous l'oreille.

— Alors tu veux que j'arrête ?

Une autre des questions qu'on m'avait posées – je l'avais pourtant supprimée, celle-là – m'est revenue en tête. Je suis presque sûre que si je n'avais pas été complètement déchirée, je n'aurais jamais pris la décision qui a suivi. Mais j'étais ivre, alors je l'ai fait.

Quand ma main s'est posée sous sa ceinture, il a bondi.

— Renley ! Je ne sais vraiment pas si…

J'ai continué, et il a cessé de protester.

— Tu es bourrée. Je ne devrais pas… On ne devrait pas…

Et puis il s'est allongé sur le dos et a fermé les yeux en marmonnant quelque chose.

Et c'est tout ce dont je me souviens. Je sais qu'il m'a ramenée chez moi et je sais que je ne me suis pas couchée tout de suite, parce qu'il y a à présent deux nouvelles petites vidéos publiées sur *Sweet Life*. « Comment mast… Enfin, vous savez. » Et « Comment piquer le mec d'une autre fille. » Je ne maîtrise aucun des deux sujets, en fait, mais, après la soirée d'hier, j'ai dû penser que mon expertise était assez solide.

Voix off, plans de coupe pleins d'humour et montages malins, comme d'habitude. C'est fou ce qu'on arrive à pondre malgré un taux d'alcoolémie élevé ! C'est plutôt bien fait, je dois le reconnaître, et j'ai pris soin de ne pas révéler mon identité dans un accès d'enthousiasme aviné. En revanche, il va me falloir pas mal d'heures et de remèdes maison avant de pouvoir rédiger quoi que ce soit sur la question de la gueule de bois.

Je ne me sens pas très bien, là, et je ne parle pas simplement de la nausée qui ne me quitte pas. On n'est pas allés jusqu'au bout… mais on a failli. Savoir que je me suis risquée à des extrémités pareilles… et pour quoi, honnêtement ? Pour un tuto ? Ça me défrise. Au vu de l'atroce martèlement qui retentit sans discontinuer dans ma tête, je crois que ces dernières vingt-quatre heures sont à ranger directement dans la case « Ne valait pas le coup du tout » de ma pauvre existence. Mais bon. Ce qui est fait est fait… Fin de l'histoire.

Au supplice, je tire les couvertures sur ma tête, me retourne et me rendors aussitôt.

TUTO N°24 : MARQUER UN PANIER À TROIS POINTS

À mon réveil, je ne me sens toujours pas dans mon assiette. Les effluves d'alcool et de transpiration, conjugués à une migraine à peine atténuée, n'arrangent pas les choses. Pas plus que mon obstination à ressasser mes erreurs de la veille. Est-ce que Seth va accepter de me revoir, maintenant ?

J'ai raté trois messages et/ou appels d'April, mais elle peut attendre. Je suis encore complètement crevée.

Je prends un autre cachet d'aspirine avant de descendre en chaussettes chercher une boisson énergétique. Autant tenter le coup, que cette soirée n'ait pas servi à rien. En tout cas, plus jamais de shot. C'est hors de question.

Mon père ne lève pas les yeux de son journal lorsque je le frôle. Croire que sa fille est une fêtarde alcoolique et dévergondée… ça ne doit pas être facile. Alors je ne dis rien et le laisse digérer l'information.

La boisson apaise ma gorge desséchée mais ne fait pas grand-chose pour chasser les senteurs de tequila-rhum-gin-triple sec-vodka qui refusent d'évacuer mes narines et les pores de ma peau. Alors j'entre avec précaution dans la douche et je laisse la vapeur d'eau faire le boulot. Je me lave les cheveux trois fois, idem pour le corps, histoire de me débarrasser de l'odeur et de la viscosité qui me collent à la peau.

Une eau aussi chaude que j'arrive à le supporter dégouline dans mon dos. Le mal de crâne disparaît même pendant une seconde. Une fois propre, je retourne à ma chambre enroulée dans une serviette. Le malaise que j'éprouve depuis mon réveil s'évanouit petit à petit, et je me sens un peu mieux. Peut-être demain serai-je capable de fonctionner à nouveau normalement ?

Le jour suivant arrive, et je fonctionne. À dire vrai, la nuit dernière je me sentais déjà assez bien. N'ayant jamais eu la gueule de bois auparavant, j'ignore si c'est grâce à mes concoctions diverses, ou bien si les effets disparaissent normalement au bout de ce laps de temps.

Pas grave. Je vais quand même préparer un tuto. Hors de question d'avoir souffert toute la journée d'hier pour rien. Alors je dresse vite fait une liste des remèdes utilisés (sommeil, boisson énergétique, aspirine, douche – rien de révolutionnaire mis à part le mélange Sprite plus soupe mexicaine pimentée vivement conseillé par Sam et que je n'ai pas osé tenter), je sélectionne les photos ad hoc, je peaufine mon montage, et je poste. Bon d'accord, je ne me suis pas foulée, cette fois. Ce tuto ne vaut sans doute pas le prix fixé pour le consulter. Bref. Ce qui est fait est fait.

Dans la salle de bains, je m'asperge le visage d'eau froide et attache mes cheveux en une queue de cheval brouillonne. J'enfile ensuite un jogging, un T-shirt manches longues fin, des tennis et je m'apprête à sortir. Dehors, tout est recouvert de neige et mon sang se glace rien qu'à cette vue, mais il n'y a pas école aujourd'hui et j'ai besoin de courir et surtout de sortir de cette maison. Alors je pousse la porte et je pars affronter les rigueurs de l'hiver.

Je ressens un regret mêlé de joie lorsqu'une myriade de petits flocons se met à tournoyer autour de moi. Ils se posent dans mes cheveux et mes narines, me couvrent d'une fine couche blanche qui fond presque aussitôt. Je ne compte pas courir très longtemps : je ne me suis pas réellement entraînée depuis le collège, je ne cours même plus jusqu'au lycée avec Drew. Ça fait un bail que je n'ai pas fait de sport et l'air glacial me brûle la gorge et les poumons. Mes longues foulées rapides procurent vite la même sensation à mes muscles. C'est agréable, dans un sens. Je crois que je suis un peu maso. Je fais le tour de tout le quartier. La neige craque sous mes pas, qui y laissent de légères traces.

J'ai l'impression d'être dehors depuis une éternité, alors que cinq minutes seulement se sont écoulées. J'aimerais continuer, mais ma résistance au froid a ses limites. Le prochain virage va me ramener chez moi.

À l'approche de ma pelouse, je perçois le bruit creux d'un ballon de basket qui rebondit sur le béton. Perplexe, je tourne la tête. Je suis en train de passer devant la maison de Drew. Quand il me voit, il rattrape sa balle et me fait un petit signe.

Je ralentis, intriguée, puis je finis par m'arrêter.

— Salut, dis-je pour tâter le terrain.

— Salut.

Il m'envoie le ballon. Et je ne peux pas m'empêcher de sourire. Un sourire qui me fait presque mal parce que mes lèvres sont en train de devenir bleues. Je dribble un peu sur le trottoir, plie les genoux, évalue la distance, la légère pente de l'allée. Et je tire. Panier !

Drew attrape la balle au rebond, dribble jusqu'à la pelouse, un air de défi dans les yeux. Je lance un regard d'envie vers la fenêtre de ma chambre, puis vers Drew. Mon désir de retrouver mon meilleur ami l'emporte sur le confort, alors je le rejoins à petites foulées et prends position : genoux fléchis, mains en avant. Depuis combien de temps n'avons-nous pas joué au basket ensemble ? On y jouait tout le temps quand on était petits, si bien qu'il ne nous faut que quelques secondes pour nous sentir de nouveau dans le bain.

Il me fixe droit dans les yeux tandis que son ballon passe de droite à gauche entre ses mains. Son souffle forme de petites volutes blanches devant lui. Mon regard suit ses mouvements – j'ignore de quel côté il va partir. Puis il fait mine de s'élancer à droite, alors je plonge à gauche et il manque de me rentrer dedans. Malgré tout, la balle quitte ses mains et traverse la moitié du terrain jusqu'au panier. Une manœuvre facile, pour lui : je suis beaucoup plus petite, alors ça ne présente aucune difficulté.

— Tu n'as pas perdu la main !

— Mais oui… répond Drew. Je passe pro l'an prochain.

J'attrape le ballon avant de reculer jusqu'au bord du trottoir.

— Pour être honnête, je pensais que tu tiendrais plus longtemps.

— De quoi tu parles ?

Je le pousse pour m'ouvrir le chemin du panier, mais il bondit et intercepte la balle.

— Je pensais que tu me tiendrais à distance plus d'une semaine avant de me laisser revenir.

Il saute avec grâce, pas très haut, mais assez pour marquer, et je récupère le ballon.

— Oui, c'est pénible de jouer au basket tout seul.

— Certes.

Je ne dribble même pas cette fois. Je recule jusqu'à la pelouse couverte de neige et je tire. J'esquisse aussitôt un sourire narquois : j'ai marqué.

— Frimeuse !

Il passe derrière le panier pour récupérer la balle. Je chuchote :

— Tu m'as manqué.

Il s'arrête une fraction de seconde.

— Quoi ? Seth ne te divertit plus assez ?

— Oh, bien assez, merci. Tout se passe à merveille.

— C'est ce que j'ai cru comprendre.

Il ramasse le ballon, dribble, feinte pour me dépasser, mais son tir ricoche sur le panier et contre toute attente, c'est moi qui récupère la balle. Je la lance, elle rebondit aussi et me revient dans les mains. Un tir de plus : elle tourne dans le cercle puis finit par y entrer.

— Raté, Eisler.

Je hausse un sourcil.

— Tu n'as pas dribblé avant de tirer. Le point est pour moi.

Je le fusille du regard. Mais il a raison.

— D'accord. Je n'ai pas besoin de m'appuyer sur des détails techniques pour te battre, moi.

— Oh ça, j'en doute !

Il lance la balle d'encore plus loin que mon premier tir, et marque. Ensuite, il me la passe. Je m'avance jusqu'au milieu de la cour. J'essaie de faire abstraction de mes membres qui tremblent de froid, mais Drew le remarque, j'en suis persuadée, et croise tout à coup les bras, sceptique.

— Tu ne vas jamais réussir à marquer de là-bas.

— Ayez confiance, mon bon monsieur.

— C'est un tir à trois points. Et tu es gelée.

Je joue avec la balle pour sentir son poids et je m'applique à la visualiser dans le panier.

— On parie, propose-t-il. Tu marques, tu gagnes. Tu rates, je gagne.

— Qu'est-ce qu'on mise ?

J'ai les dents qui claquent. Pas assez de mouvement, trop de neige et ma sueur qui se refroidit.

— Bon, je doute qu'on se fasse un strip-basket.

Son clin d'œil me réchauffe d'un coup. Tout est normal. Nous sommes redevenus nous-mêmes, comme avant que tout parte en vrille.

— Par ce temps, aucun risque.

Il scrute le tissu fin qui couvre mes bras, exaspéré.

— Bon. Si je gagne, tu viens chez moi et on regarde *La Quatrième Dimension*.

— Et si c'est moi qui gagne ?

— Je commande chinois en plus et je paie.

— C'est parti !

J'observe le panneau en dribblant une ou deux fois sur la pelouse mouillée. Très mauvaise idée : maintenant la balle est glissante et impossible à saisir correctement. J'y parviens tout de même et l'agrippe fermement, genoux fléchis avant de sauter. Ma main gauche est stable tandis que la droite effectue son lancer. Je regarde la balle fendre l'air, animée de la rotation la plus parfaite que j'aie vue de ma vie. Elle vient taper le panneau pile en son centre, rebondit et tombe dans le panier. J'éclate d'un grand rire moqueur.

— Toi ! m'écrié-je. Tu me dois un repas, Calloway.

— Je reconnais humblement ma défaite.

Il ramasse la balle et passe un bras autour de mes épaules. Je ne devrais sans doute pas manger chinois, ça fait grossir. Mais je meurs de faim et je me sens bien avec Drew. Trop bien, peut-être ? Bonne question…

— Justement… Je voulais te parler, commence-t-il, l'air de rien, quand nous atteignons la porte.

Mon pouls s'emballe sur le-champ. Drew regarde toujours mes tutos, je le sais. Et je n'ai aucune envie d'en parler. Pas avec lui. Je ne sais pas ce qui me terrifie autant, mais je ne peux pas. Cette petite phrase en apparence inoffensive me pétrifie. Je ne bouge plus.

— Qu'est-ce qu'il y a ? s'étonne-t-il.

— Rien, c'est juste que j'avais complètement oublié, j'ai un truc à faire.

Il me lâche les épaules, incrédules.

— Tu te fous de moi ?

— Avec… Avec Stacey.

— C'est ça, oui !

— Non, c'est vrai. Je… je dois y aller. À plus tard, désolée !

À plus tard, mon œil…

Les lèvres pincées, il rentre chez lui sans ajouter un mot. Stacey… Quel mensonge ridicule ! Seth se serait fait avoir, Sam aussi. Mais Drew, aucune chance…

Tant pis. Je refuse de parler de ces satanés tutos, je n'en ai pas la moindre envie et je ne vois pas pourquoi je devrais le faire. Cette matinée s'est bien passée, et c'est ce que je choisis de retenir. Parce que, pendant un tout petit instant, tout m'a semblé redevenir comme avant. Drew revient peu à peu vers moi, et malgré le malaise qui persiste entre nous, cette idée suffit à tout arranger.

TUTO N°25 : SE TROUVER UN CAVALIER POUR LE BAL DE PROMO

Message de Seth. Salut toi !

Viens me chercher. Tu me manques !

J'arrive.

Je suis incroyablement soulagée qu'il n'ait pas évoqué la soirée de l'autre jour. Ni mon comportement erratique, ni mes mains baladeuses, ni la quasi-agression que je lui ai fait subir, rien. Résultat des courses : je suis ravie de le voir.

Je me lisse les cheveux, me maquille – opérations que je maîtrise à présent en cinq minutes top chrono. Un jean sexy, un joli haut, son blouson (ça me fait toujours un peu glousser), et je suis prête quand il arrive.

— Salut, ma belle, dit-il en laissant ses lèvres s'attarder sur ma joue si longtemps que j'en rougis.

Une fois chez lui, je le suis jusqu'à sa chambre située à l'étage. Je m'aperçois que c'est la première fois que j'y pénètre. Plutôt bizarre.

— Donc voilà ton antre.

Je passe une main sur la commode. Il écarte le bras, tel Monsieur Loyal, et confirme :

— Là voilà, oui.

Ça sent le frais ici, peut-être même plus que dans la mienne. Et à part un T-shirt roulé en boule dans un coin et un bureau légèrement en bazar, c'est propre. Très très propre.

— Je suis impressionnée, dis-je, sincère.

— Ma mère a toujours insisté pour que je range.

C'est réussi. Seth s'assied sur son lit et, sans me laissser le temps de l'imiter, me prend sur ses genoux. Je pousse un petit rire et le laisse m'embrasser.

— Au fait, pour la soirée…

Oh non… J'aurais dû me douter qu'il voudrait aborder le sujet.

— Oui…

— Tu n'as pas eu trop mal aux cheveux ?

— Euh… Ça va mieux. Mais j'ai eu une sacrée gueule de bois…

— Oui, je m'en suis douté. J'aurais dû t'amener du Sprite et de la soupe mexicaine… Je sais, je sais. Mais Sam ne jure que par ça.

Je glousse.

— Crois-moi, ça ne m'aurait pas aidée, au contraire.

Je sens ses doigts remuer nerveusement dans mon dos.

— Je voulais te parler de… de ce qui s'est passé.

Génial. Donc soit il croit que je suis une véritable traînée et ne va plus jamais vouloir m'approcher, soit il pense que les gâteries, c'est mon truc, et il s'attend à ce que je recommence. Je ne sais pas ce qui est le pire entre les deux.

Quand il lève les yeux vers moi, je n'ai qu'une envie : aller me cacher sous une pierre et ne plus ressortir jusqu'au mois d'août.

— Bon, voilà le truc. C'était très agréable. Assez extraordinaire même, en fait.

Option numéro 2, donc.

— Mais ce n'est… je ne suis pas très à l'aise avec ça. Et j'ai l'impression d'avoir abusé parce que tu étais torchée.

Je pousse un énorme soupir de soulagement.

— Oui enfin, ce n'est pas comme si je n'avais rien à me reprocher, dis-je. Tu as protesté. J'étais bourrée, certes, mais pas au point de ne pas me souvenir de ce qui s'est passé.

Une main sur la nuque, Seth ne relève pas les yeux.

— Enfin, quoi qu'il en soit, je ne suis pas… Voilà, je ne voudrais pas que tu croies que tu ne me plais pas, ou que je suis complètement coincé. C'est juste que… je ne suis pas tout à fait prêt à passer à la suite. Note bien que mon corps tout entier est en train de protester contre ce que je te dis. Je vais sûrement m'en vouloir à mort quand tu seras rentrée chez toi. Mais… Euh… O.K., tu ne dis plus rien, là. Tu me détestes ?

Je me mets à rire, incroyablement soulagée.

— Pas du tout. En fait, pour être honnête, je pensais exactement la même chose que toi. J'ai hyper honte de ce que j'ai fait, en plus je manque tellement d'expérience que… Bref, je suis vraiment contente que tu aies le même sentiment que moi. Un peu surprise, c'est sûr, mais contente. Donc, non, je ne te déteste pas. Je…

Comment finir cette phrase. Je t'aime ? Je t'apprécie ? Je suis attirée par toi ?

Il attend un long moment, puis il murmure :

— Je t'aime aussi.

Je ne lui ai pas vraiment dit que je l'aimais, donc cette réponse me semble un petit peu présomptueuse. Pourtant, une grande chaleur m'envahit la poitrine et une émotion inconnue me serre la gorge. J'ouvre de grands yeux.

— C'est vrai ?

— Oui. Je sais qu'on n'est pas ensemble depuis longtemps, mais… Oui.

Je pose une main sur sa joue et il m'embrasse avec une fébrilité qui allume de nouvelles étincelles dans mon ventre. C'est une sensation absolument exquise. Je n'ai pas du tout envie qu'il s'arrête. Il m'allonge sur son lit, ses lèvres descendent le long de mon cou avant de remonter vers mon oreille.

— Viens avec moi au bal de promo, murmure-t-il.

— Quoi ?

Il se redresse sur le coude. Ses doigts vont et viennent sur mon ventre.

— Viens avec moi au bal de promo.

— Mais c'est en avril.

— Et alors ?

Il se penche pour m'embrasser à nouveau. Ses baisers sont tout simplement grisants.

— Tu comptes me larguer avant ? me taquine-t-il.

— Si tu crois pouvoir t'en tirer aussi facilement…

J'ai l'impression d'être aimantée à ses lèvres. Je n'arrive pas à m'empêcher de les embrasser quand elles sont là, si proches, juste sous les miennes.

— Alors viens. C'est mon dernier bal de promo, Renley, viens avec moi. Je viendrai te chercher en limousine. (Il m'embrasse dans le cou.) Tu pourras porter une robe magnifique. (Il m'embrasse sur l'oreille.) Je danserai avec toi toute la nuit.

Il redescend me titiller la gorge.

— Je n'arrive même pas à réfléchir quand tu fais ça.

— Tant mieux.

Il continue son manège et mon cerveau s'embrume délicieusement.

— C'est d'accord.

Je souris, hypnotisée par le ballet de ses lèvres sur ma peau. Je sais qu'un détail m'échappe et cette idée me tracasse un peu, mais je l'écarte fermement. Il sera toujours temps de me pencher dessus plus tard, pour l'instant je suis dans la chambre du garçon le plus adorable et le plus beau de tous les temps.

Je n'y repense qu'une fois rentrée chez moi. Je regarde mon calendrier sur mon téléphone et je m'arrête net au 29 avril, le jour du bal de promo des terminales. C'est le dernier jour du voyage à New York. Non, non, non ! Impossible. À quoi pensait M. Sanchez en organisant son petit périple la même semaine que le bal de promo ? (C'est vrai qu'aucun terminale ne fait partie du club de maths cette année, mais quand même.)

Je ne peux pas aller au bal. Je jette violemment mon téléphone sur le lit, comme si me venger sur un appareil électronique pouvait suffire à me soulager. Je n'arrive pas à croire que je doive rater ce qui pourrait s'avérer la nuit la plus fabuleuse, la plus romantique de ma vie entière, tout ça pour aller voir… un musée des maths et un pauvre planétarium ? Quelle nase !

Je me rallonge sur mon lit pour rêver à Seth. J'imagine ses mains posées sur ma taille quand nous dansons, ses lèvres sur les miennes. Je porterai une robe longue, peut-être à paillettes. Des bretelles fines. Un chignon, sûrement. Ou alors les cheveux longs et bouclés ? À moitié relevés, pourquoi pas ?

Et puis je songe à New York. Aux membres du club de maths, qui pour la plupart ignorent ce qu'est un déodorant, en train de découvrir des merveilles mathématiques et de gloser sur les équations différentielles et la théorie des cordes. Youpi, chaude ambiance !

En fait, je sais très bien ce que j'ai envie de faire. Mais April en mourrait. Ce serait horrible. Je ne peux pas la laisser tomber. Impossible.

Je reste allongée un bon moment à réfléchir. Est-ce que ça la toucherait vraiment ? Cash sera là-bas avec elle, pour commencer. Honnêtement, ils ont peut-être envie d'être tranquilles tous les deux. Je vais me retrouver à leur tenir la chandelle, je le sens. Qui sait, April sera peut-être même soulagée si j'annule ? Et puis ce n'est pas comme si je renonçais au voyage pour assister à un simple concert, par exemple. C'est le bal de promo de Seth, le dernier avant la fac. Ce n'est pas rien. Si je ne l'accompagne pas, il se trouvera une autre cavalière. Une fille qui sera sans doute plus que ravie d'enfiler une jolie robe, de danser avec lui et de lui coller sa langue dans la gorge. Une image de Sam au bal en compagnie de mon copain me traverse l'esprit. Puis, pire encore, une vision de Taylor s'impose à moi. J'ai l'intuition terrible que si ce n'est pas moi qui accompagne Seth, ce sera elle. Je commence à me sentir physiquement mal.

April comprendra, pas vrai ?

Je passe les trois heures suivantes à me prendre la tête. Puis j'attrape mon téléphone.

Coucou.

Salut, vous ! Ça fait un bail, ça va ?

Bien. Je suis en train de réfléchir...

Méfiance, ça peut s'avérer dangereux ;) répond-elle.

Au voyage à New York.

Au bout d'un petit moment, elle écrit :

Ooook...

Je ne suis pas sûre de venir.

Silence. Pendant au moins vingt minutes. Que faire ? Lui renvoyer un message ? L'appeler ? Elle n'a peut-être plus de batterie… Soudain, on frappe à la porte d'entrée. Une série de coups ultra-violents, à réveiller les morts. La porte s'ouvre à la volée et April hurle :

— Renley !

Hésitante, je la rejoins au bas de l'escalier.

— Oui ? dis-je d'une petite voix.

— Ça veut dire quoi, tu « n'es pas sûre » de venir ?

Elle est tellement en colère que je la vois frémir à l'œil nu, les poings serrés.

— Ça veut dire que je n'en suis pas sûre.

— Tu n'as pas déjà payé ? Au moins la première moitié ? Ce montant n'est pas remboursable.

— La date limite de versement, c'est demain.

Son visage se décompose.

— Mais qu'est-ce que tu racontes, d'abord ? On parle de ce voyage sans arrêt depuis le début de l'année. Qu'est-ce qui t'a fait changer d'avis ?

Je me sens soudain très petite et très bête.

— C'est juste que… Seth m'a demandé de venir au bal de promo avec lui et…

— LE BAL DE PROMO ? Tout ça pour… pour une soirée dansante ? Je n'arrive même pas à… je n'y crois pas. Tu m'abandonnes pour aller danser trois pauvres heures avec un gugusse ? Mais c'est New York, bon sang, Renley ! (Elle m'agrippe sans ménagement par les épaules.) NEW YORK, nom d'un chien ! La Grosse Pomme ! Tu piges, ou pas ?

— Je… oui, bien sûr. C'est juste que… c'est son bal de promo, April. Ce n'est pas n'importe quelle soirée, tout de même.

Elle me lâche et recule, un air de dégoût sur le visage.

— Qui ES-TU ?

— Inutile d'en faire des caisses, ça va !

— Non, j'insiste : je veux savoir ce qui t'est arrivé. Tu changes de couleur et de coupe, tu commences à passer tout ton temps libre avec Seth le magnifique, dieu grec de son état, tu t'habilles… comme ça, tu te maquilles comme une prostituée de bas étage…

— Pardon, mais tu es mal placée pour traiter qui que ce soit de prostituée, espèce de traînée.

Elle recule comme si je venais de la gifler. Je me sens tout de suite coupable, et ma repartie cinglante ne me paraît plus si savoureuse que ça.

— Une traînée ? Moi ? D'accord, j'ai embrassé pas mal de mecs, Renley. C'est vrai. Mais ce n'est pas bien méchant. Et surtout, c'est tout ce que j'ai fait. Jusqu'à Cash, figure-toi. Oui, Cash. Et non, en effet, je ne te l'ai pas dit. Tu croyais quoi, que j'allais te confier quoi que ce soit après ce que tu m'as fait ? Et même si tu avais couché avec la moitié du lycée, jamais je ne te traiterais de traînée, moi. Et quoi qu'il se passe, jamais je ne t'aurais traitée comme tu l'as fait ces trois derniers mois. Et maintenant, ça ? Tu renonces à aller à New York ? Tu me laisses tomber pour un mec ? O.K., jette-t-elle, en faisant un pas en arrière, les mains levées à hauteur de son visage. Je crois que je vois enfin la ressemblance entre ta mère et toi. J'ai mis du temps, mais j'ai compris.

Ce coup de poignard vise juste. J'écarquille les yeux sous l'effet de la douleur, bien réelle, qui me transperce la poitrine.

— April...

Mais elle enchaîne sur un doigt d'honneur et claque la porte derrière elle.

TUTO N°26 :
JETER QUELQUE CHOSE D'IMPORTANT

— Ça va, Renley ? me demande Seth.

Nous sommes dans sa chambre, allongés sur son lit, et il me caresse le dos. Je reste étendue là sans rien faire, j'ai envie de hurler.

— Ça va. C'est rien. Juste un souci avec April.

— Eh bah, pour deux filles censées être les meilleures amies du monde, vous avez l'air d'avoir pas mal de hauts et de bas.

— Je te le confirme.

J'essaie de ne pas pleurer, les yeux fixés sur la neige qui tombe de l'autre côté de la vitre. Elle a juste pété un plomb, ça va s'arranger, pas vrai ? Mais oui.

— Vous vous êtes disputées pour quoi ?

— Pour rien. Je n'ai pas trop envie d'en parler.

J'aimerais bien lui raconter ce qui s'est passé, mais je suis bien embêtée. Je n'ai pas envie de lui expliquer que j'ai renoncé à aller à New York pour assister au bal de promo avec lui. J'ai fait le bon choix, je le sais. Je ne devrais pas en avoir honte.

C'est pourtant le cas... J'en suis donc réduite à le laisser me malaxer le dos langoureusement en prenant mon parti sans poser de questions.

Au bout d'une demi-heure d'angoisse existentielle que ses caresses n'apaisent qu'à moitié, il se lève lentement.

— Il faut que j'y aille.

— Non...

— Je suis obligé, fait-il avant de me donner un baiser sur le front. C'est la première nuit de Hanoucca. Et j'ai un gros contrôle de trigo demain. Je sais que tu es un génie des maths, mais travailler en ta compagnie n'améliore pas mes notes.

Je lui adresse un sourire malicieux qu'il me rend.

— Tu vas quand même en cours pendant Hanoucca ?

— Ce n'est pas une fête très importante. Donc oui, hélas, il y a classe.

— Dommage...

— Bon, à plus tard ! me lance-t-il avant de franchir le seuil.

Il me laisse passer la fin de la journée seule. J'écoute de la musique, perdue dans mes pensées – j'ai connu plus joyeux et plus passionnant, comme soirée –, mais vers 22 heures, j'aperçois quelque chose par la fenêtre. C'est étrange, je dois me tromper. Mais non. Je reconnaîtrais ces cheveux bleu turquoise n'importe où. April est assise sur le perron de Drew, face à sa pelouse enneigée.

Il a passé un bras autour des ses épaules et tous deux discutent comme de vieux amis. Il se passe quoi, là ?

À part moi, Drew n'invite jamais de filles chez lui, sauf celles qu'il… Non, c'est pas possible. Pas ça.

Une nausée soudaine m'assaille. Pliée en deux, je me retrouve à deux doigts de vomir sur la moquette. Est-ce qu'ils… Est-ce qu'elle a couché avec lui ? Pourquoi ? Par vengeance ? J'essuie avec rage les larmes qui me brouillent la vision et j'étudie la scène.

Il la serre contre lui, de très, très près. J'ai mal. Partout. Je suis malade à l'idée de regarder, mais c'est comme quand on passe devant un accident de voiture. On dépasse des décombres, du verre brisé et peut-être même du sang. Et bien sûr on espère que personne n'est mort. Mais on est curieux de voir la scène. Alors on ralentit, et on observe. Alors j'observe.

Il fait encore pire que la serrer contre lui : elle croise les bras comme si elle avait froid, alors il se penche, lui parle, puis ôte sa veste et la lui tend. J'ai l'impression qu'on vient de m'enfoncer un couteau cranté dans le ventre et qu'à présent on le tourne lentement au milieu de mes entrailles.

Il vient de lui donner sa veste, bon sang !

Ma nausée revient et je m'éloigne de la fenêtre, tout étourdie. Ce n'est pas possible. Ils n'ont pas fait ça. April ne me ferait jamais une chose pareille. Drew non plus. Pas vrai ?

Quand je reviens vers la vitre, attirée tel un insecte par la flamme d'une bougie, ils sont debout dans les bras l'un de l'autre. Il l'accompagne à sa voiture. Elle retire le manteau pour le lui rendre, puis elle s'en va. Bon débarras ! Elle a bien fait, on a frisé le double-homicide.

À la seconde où elle disparaît, je me précipite dans les escaliers. J'ai déjà le visage rouge et bouillant. Arrivée chez Drew, la fumée me sort quasiment par les oreilles.

Je cogne à sa porte tellement fort que je suis surprise de ne pas la faire voler en éclats. Quand il m'ouvre, je le bouscule pour entrer. Il ouvre de grands yeux étonnés. Je crache comme un chat :

— Tu lui as donné ta veste ?

Ce n'est pas du tout ce que j'avais prévu de dire.

— Quoi ?

— April. Tu lui as donné ta veste ?

— Je… oui. Il fait un froid de canard.

Je m'effondre sur les dalles du couloir, les bras autour des genoux, sans parvenir à retenir un sanglot muet.

— Tu te souviens que je voulais te parler, Renley.

— Mais je n'aurais jamais cru que c'était pour ça. Toi et… beurk ! Je n'arrive même pas à le dire.

Il se baisse pour me relever par le coude et m'entraîner dans sa chambre, où je me rassieds sur le sol, dans la même position.

— Écoute. April est venue me parler il y a deux heures environ, et…

— Tu ne l'as jamais appréciée, en plus !

— Je n'ai jamais dit que je ne l'aimais pas. J'ai dit que je ne la connaissais pas. Nuance. Enfin, ça n'a rien à voir. Elle est venue me parler du voyage à New York.

Je le fusille du regard.

— Et donc… quoi ? Tu as eu pitié d'elle et tu te l'es tapée ?

Il semble complètement déboussolé, et sa voix monte dans les décibels comme si j'étais sourde ou arriérée mentale.

— Mais qu'est-ce que tu racontes ? Non, je ne l'ai pas touchée. Je l'ai écoutée, c'est tout. Elle pense que je peux peut-être te faire entendre raison. Elle m'a dit que tu renonçais au voyage à New York pour assister au bal de promo ? Avec Seth ?

— Oui, et alors ?

Mes paroles sont pleines de venin. Il ne m'a pas encore fait de reproches, pas vraiment, mais j'ai déjà envie de déguerpir. Ou de lui en coller une. J'hésite.

— Je croyais que c'était ta meilleure amie.

— Eh bien moi aussi, figure-toi, jusqu'à ce qu'elle décide que si je ne faisais pas neuf cents kilomètres avec elle, c'était fini entre nous.

Il se tait un instant, puis, à voix basse :

— Écoute-toi un peu parler, Renley. Est-ce que tu entends comment tu parles, maintenant ?

Je le regarde sans répondre. J'ai mal aux doigts à force de serrer mes genoux comme une malade.

— C'est pas des blagues… Tu es… tu fais n'importe quoi.

J'éclate de rire.

— Elle a raison et tu le sais, Renley. Tu lui as promis d'y aller avec elle et, la veille de la date limite, tu te défiles. Tout ça pour un mec. Tu sais très bien que c'est n'importe quoi. Regarde-moi… Seth est au courant, au moins ?

Je rétorque avec toute la désinvolture dont je suis capable :

— Qu'on va au bal de promo ensemble ? J'espère bien pour lui !

— Ne te fiche pas de moi. Est-ce qu'il sait que tu as annulé ton voyage à New York pour ça ?

Je ne réponds rien.

— Je te parie jusqu'au dernier centime de ce que tu as gagné avec tes tutos à deux balles qu'il n'est pas au courant. Parce que tu sais pertinemment qu'il te dirait que tu es dingue. Bien sûr qu'April est furieuse. Et moi aussi, qu'est-ce que tu crois ? On ne sait pas où est passée notre meilleure amie, elle s'est littéralement volatilisée sous nos yeux en l'espace de trois mois !

Je lève les yeux au ciel, exaspérée.

— Oh je t'en prie, on ne va pas en faire un drame !

— Je regarde toujours tes tutos, tu sais. Et ce que tu as posté…

Une main dans les cheveux, il s'assied lourdement sur le lit. Aussitôt, je me relève.

— Quoi ? Dis-moi en quoi c'est pire que tout ce que tu as bien pu faire, toi ?

— Ça n'a rien à voir avec moi. C'est de toi dont il est question. Comment dissimuler un suçon ? Soigner une gueule de bois ? Masturber un mec ? Ce n'est pas toi, ça. Et je suis prêt à parier que ce n'est déjà plus une question d'argent, pour toi. Ces tutos, tu les as postés parce que tu es partie en vrille.

Je serre les dents, les bras croisés sur la poitrine.

— J'ai raison, pas vrai ? Écoute, je me fous bien de ce que tu fais avec Seth dans l'intimité. Sérieusement, je m'en contrefous. Bois tout ce que tu veux, sors dans toutes les soirées que tu veux, avec qui tu veux, ce n'est pas ça qui me gêne. Simplement, fais-le parce que toi, tu en as envie, Renley. Pas pour… quoi ? Faire plaisir à de fidèles abonnés que tu n'as jamais rencontrés ? Entretenir ton nouveau statut de fille populaire ? C'est pour ces raisons-là que tu fais n'importe quoi ? Je ne comprends pas, explique-moi…

Sa petite tirade m'a rendue folle de rage. J'entends le sang battre à mes oreilles.

— Je n'ai aucun compte à te rendre, Drew. Ce ne sont pas tes affaires.

— C'est absolument vrai. Ce ne sont pas non plus les affaires de tout le cyberespace.

— Tu te crois vraiment omniscient, ma parole ! C'est tellement facile de me regarder de haut, hein ? Vous me faites bien rire, April et toi, les nouveaux meilleurs amis du monde, qui essaient de ramener dans le droit chemin la pauvre petite Renley égarée. Mais je n'ai pas besoin de vous, merci beaucoup ! Je me débrouille très bien toute seule, figure-toi.

— Mais bien sûr. C'est quand, la dernière fois que tu as contacté April la première ? Tu l'as complètement laissée tomber parce que tu étais trop occupée à jouer les SweetLifeCoach et à traîner avec Seth et toute sa précieuse petite bande. Tu l'as totalement laissée sur la touche. Moi, ça me gratte. Et ça devrait te gratter aussi, Renley. Parce que tu aimes April, et que tu es sur le point de la perdre pour de bon. Tu comprends ce que je te dis ?

— Je ne t'ai pas demandé ton avis sur la question.

— Pardon, mais je ne suis pas d'accord. Ce n'est pas moi qui débarque chez toi à la nuit tombée pour exiger de savoir pourquoi tu as prêté ta veste à quelqu'un.

Je suis de nouveau au bord des larmes, et je ne sais même pas pourquoi.

— Mais sérieusement, Drew, pourquoi ? dis-je d'une voix douce, ma colère oubliée pour quelques secondes.

Il pousse un profond soupir et scrute mon visage avec attention.

— Parce qu'elle sait se débrouiller. Je ne la connais pas très bien, mais assez pour le savoir. Elle ne passe pas sa vie à attendre que tout le monde s'occupe d'elle. Mais toi… je suis fou de toi, tu le sais… mais tu attends qu'on fasse les choses à ta place, tu as l'air de prendre ça pour un dû. Quand tu es face à un problème, souvent, tu n'essaies même pas de le résoudre. Tu attends que la solution vienne des autres. Tu as besoin d'argent ? Tu te tournes vers tes parents, vers de parfaits inconnus sur Internet. Tu ne penses jamais à prendre une veste parce que tu t'attends à ce que je t'en prête une. Tu crois que tu as besoin des autres, que ce sont les autres qui ont la solution mais, Renley, c'est faux. Tu as un sacré caractère, tu n'as besoin de personne. Même pas de ta mère, au fond, si tu réfléchis bien. Avant peut-être, mais plus maintenant. Alors... ce n'est pas grave d'avoir besoin d'aide de temps en temps, bien sûr, mais pas tout le temps. Et jusqu'à ce que tu le comprennes, tu n'auras pas ma veste.

Je reste immobile un instant, abasourdie, avant de lui tourner le dos.

— Je n'ai pas envie que tu te perdes à cause de tout ça, dit-il.

Furieuse, oppressée, je me plante en face de lui.

— Alors comme ça, je serais en train de me perdre ? De me noyer dans tous mes problèmes ? Juste parce que je suis allée plus loin que prévu avec Seth ? Juste parce que je me suis bourré la gueule une fois, parce que je me suis fait un groupe d'amis en dehors d'April et de toi ? Et parce que parfois, j'oublie d'enfiler une veste ? Tu veux qu'on parle de problèmes ? Qu'est-ce que tu penses du fait que tu te tapes tout ce qui bouge ? Tu ne crois pas que ce soit un léger problème, ça ?

Il me regarde comme si j'étais une abrutie.

— Bien sûr que oui, ça crève les yeux. Tu connais beaucoup de mecs qui s'envoient en l'air ne serait-ce que moitié aussi souvent que moi ? J'ai des gros soucis, c'est évident. Mais on ne parle pas de moi, là. On parle de toi, je te signale. Tu détruis tout ce qui t'importait avant, tout ça pour poster de pauvres tutos et récolter un peu d'attention. Ça fait du bien à ton ego quand tout le monde te remarque. Mais, Renley, regarde-moi en face : est-ce que ça en vaut la peine ?

Mais pour qui il se prend, ce petit con ? Il va se le garder, son ton moralisateur, oui ? J'ai envie de l'étrangler. Je sors de sa chambre telle une tornade – manque de chance, il me suit.

— Je n'ai pas envie de te menacer, Renley, dit-il à mi-voix.

À ces mots, je me sens pâlir.

— Quoi ?

Il répète en énonçant clairement chaque syllabe :

— Je n'ai pas envie de te menacer.

— Qu'est-ce qu'il y a ? Tu vas me frapper, maintenant ?

— Ne raconte pas n'importe quoi. Tu sais bien que je ne te ferai jamais de mal.

— Alors quoi ?

Soudain muet, il évite mon regard. Quand ses yeux rencontrent enfin les miens, mon sang ne fait qu'un tour... Je sais ce qu'il va m'annoncer.

— Je vais le dire à tout le monde.

— Pardon ?

— Tu es en train de te transformer en quelqu'un que tu détestes, tu fais tous les jours des trucs que tu regrettes l'instant d'après. Et tu vas perdre tous ceux à qui tu tiens. Je ne peux pas te laisser faire. Je vais révéler à tout le monde qui est vraiment SweetLifeCoach, je te le promets.

— Non, dis-je à voix basse, les jambes flageolantes. Tu ne me ferais jamais un truc pareil : tu m'aimes.

— Exactement. Et c'est bien pour ça que je vais le faire.

À cet instant, je ne ressens plus aucune émotion, je suis anesthésiée. Anesthésiée, et glacée jusqu'aux os.

— Tu es mon ami, je t'ai parlé du projet en confidence, Drew. Tu trahirais ma confiance ?

C'est ce qui me fait le plus mal, si je veux bien être honnête. Mais il ne bronche pas, alors j'enchaîne :

— Je crois que je comprends ce qui se passe... Tout ça, c'est parce que j'ai préféré Seth à toi.

Je le vois serrer les dents. Comme il reste muet, je passe à l'attaque :

— C'est bien ça. Ce n'est pas tant moi qui ai changé que toi. Jamais tu ne m'aurais fait ça, avant. Jamais. (Je hausse le ton.) Tu es tellement obsédé par moi que tu n'arrives pas à garder les idées claires deux minutes. Tu ne penses qu'à te venger, et c'est tout.

Il tremble à présent, la mâchoire serrée, le regard brillant et le visage fermé.

— C'est ça, Renley, tu as tout compris. Je n'en ai rien à faire de toi. Je n'arrive pas à voir au-delà de ma monumentale érection pour comprendre que tu risques de souffrir de tout ça. Je ne t'ai jamais vraiment aimée, d'ailleurs je n'ai jamais levé le petit doigt pour toi. Je ne me suis jamais infligé le supplice de te laisser dormir chez moi sans pouvoir fermer l'œil parce que je ne pouvais pas te toucher. Je ne me suis jamais levé au milieu de la nuit quand je t'entendais pleurer. Je n'ai jamais repoussé un rendez-vous coquin pour pouvoir t'accueillir chez moi, pour que tu puisses te sentir à l'abri, protégée. Tu as tout compris, bravo.

Je hausse les épaules.

Son visage s'assombrit encore, et il prononce un seul et unique mot d'une voix dangereusement basse.

— Dégage.

Il n'a pas besoin de me le dire deux fois.

TUTO N°27 : SE DÉBARRASSER D'UN COUTEAU PLANTÉ DANS VOTRE DOS

Quand les premiers rayons du soleil s'infiltrent par la fenêtre, je me retourne, toujours à moitié endormie. J'ai un peu mal au crâne. Sûrement à cause de… eh bien tout ce grand n'importe quoi de la veille, je crois. Je suis un peu agacée de constater que ce foutu délire est la première chose qui me vient à l'esprit au réveil. April et son adorable doigt d'honneur. Drew et sa voix teintée d'une rage meurtrière.

Je n'ai envie de parler qu'à Seth. Lui, il saura me changer les idées. J'attrape mon téléphone.

Tu ne vas JAMAIS croire à quel point April est cinglée.

Trente secondes plus tard, le téléphone vibre.

Je m'en fous.

Perplexe, j'observe l'écran.

?

Arrête de m'écrire.

Mon estomac se tord comme une serpillère qu'on essore et entreprend de me remonter jusque dans la gorge. Je compose le numéro de Seth, ou du moins j'essaie. Je dois m'y reprendre à quatre fois avant d'y parvenir sans faire d'erreur. Ça sonne. Encore et encore. Et je tombe sur sa messagerie. Je tremble de tout mon corps. Et je dois être au lycée dans quelques minutes à peine.

Complètement paniquée, je m'habille, je me brosse les dents et les cheveux – j'ai les nerfs tellement à vif que je manque de mélanger les deux ustensiles. Je tente de me persuader que la décharge d'adrénaline qui coule dans mes veines n'est pas la conséquence de… Non. Impossible. Je refuse de considérer cette possibilité. Non… Drew n'a pas fait ce que je crois.

Je n'ai pas envie de prendre le bus. Chaque fibre de mon être se refuse à monter à bord. Au lieu de penser à ce qui explique sans doute les SMS de Seth, je me concentre sur ma haine viscérale des transports collectifs. Impossible de prendre la voiture de mon père quand il est au bureau, puisque… eh bien puisqu'elle n'est pas là. C'est clair, je suis complètement à la masse.

Je me précipite jusqu'à l'arrêt pour grimper dans le bus, l'air absolument hystérique.

Aussitôt assise, je découvre un autre texto de Seth. Pas un mot, il se contente de me transférer un lien.

Je me répète comme un mantra que tout va bien, que ce que je crains par-dessus tout n'est pas en train de se produire, et je clique sur l'adresse. Ma main recouvre sur-le-champ ma bouche béante.

Tout en haut du site, en majuscules et en gras :

L'IDENTITÉ DE SWEETLIFECOACH ENFIN RÉVÉLÉE

Je crois que je vais vomir alors que je n'ai pourtant rien dans l'estomac puisque je n'ai pas mangé ce matin. Il a osé ! Le salaud, il a osé ! Je secoue la tête frénétiquement. Si seulement je pouvais avoir mal lu… Mais chaque fois que je regarde l'écran, le titre me saute au visage.

Je fais défiler l'article à toute vitesse et pour finir, en bas, mon nom est là. « L'auteure en question n'est autre qu'une certaine Renley Eisler. Certains d'entre vous la connaissent, d'autres non. Eh bien, je suppose que maintenant vous la connaissez TOUS. »

J'ai la nausée, je me sens toute fébrile. Il faut que je répare cette catastrophe.

Je descends du bus d'un pas mal assuré et j'écris un message à Seth, puisqu'il ne répond pas quand je l'appelle.

Je t'en prie, Seth. Il faut que je te parle. Tu dois m'écouter. Je peux tout t'expliquer.

Silence radio durant dix interminables minutes, et puis :

Bon. Retrouve-moi maintenant devant le hall d'entrée.

Je me passe les mains dans les cheveux d'un geste convulsif. Difficile de les ébouriffer plus qu'ils ne le sont déjà. Quand j'aperçois Seth, je me rappelle soudain que je n'ai même pas retouché mon maquillage. Quelle poisse ! Ça ne peut pas jouer en ma faveur. Un peu de sex-appeal me serait sans doute d'une grande utilité, là, tout de suite.

Il pénètre à grand pas dans le hall sans prononcer un mot, le regard noir. Il recule quand je tente de le prendre dans mes bras, qui retombent mollement. Mon découragement se lit sur mon visage.

— Alors ? fait-il.

J'ai la gorge sèche. Dans ma panique, je n'ai pas réfléchi une seule seconde à ce que j'allais lui dire. La vérité ? Un mensonge ? Je ne bouge pas, hébétée, jusqu'à ce qu'il pince les lèvres et s'adosse au mur, bras croisés. Il est en train de se refermer comme une huitre. Bon, ça suffit. Va pour le mensonge.

— Seth, ce lien, c'est n'importe quoi. C'est clairement quelqu'un qui me déteste et qui veut détruire ma réputation. Je te le promets, jamais je n'aurais pu poster certains de ces tutos.

Au désespoir, j'essaie d'ignorer les regards mauvais que me lancent plusieurs élèves que je ne connais pas en nous croisant dans le couloir. Leurs yeux font des allers-retours entre leur téléphone et mon visage. Je m'en fiche. Complètement.

Seth éclate d'un rire rauque.

— Oh je t'en prie ! Ne me raconte pas de salades. Tu me prends vraiment pour un imbécile ! Tu vas me jurer que c'est une coïncidence ? Qu'à chaque fois qu'on fait quelque chose tous les deux, ça se retrouve sur le net le lendemain comme par magie ? « Dissimuler un suçon » juste après notre soirée tiramisu ? Une histoire de masturbation juste après la fête chez Sam ? (Il secoue la tête, incapable de me regarder dans les yeux.) Et deux jours après : « Soigner une gueule de bois ».

— Ce n'est pas du tout…

— Je t'interromps tout de suite, je sais que c'est toi. Arrête tes salades. Encore un mensonge, et je me casse. Et je ne reviendrai pas. Pigé ?

J'acquiesce lentement, m'efforce de faire taire ma panique et m'assieds par terre, au milieu du couloir. Je commence à avoir la tête qui tourne.

— O.K. C'est moi.

Il pousse un soupir résigné.

— Mais je te jure que je ne voulais faire de mal à personne. Et surtout pas à toi.

— Et à Taylor ?

— Quoi ?

— Taylor. Tu voulais lui faire du mal ?

— Je ne comprends pas…

Il me tend son téléphone. Sur l'écran : « Comment piquer le mec d'une autre fille. » Je me sens pâlir.

— Tu ne m'as pas piqué à Taylor, Renley. Soyons bien clairs. Je l'ai quittée parce que notre relation battait de l'aile, et certainement pas pour toi. Si je suis sorti avec toi, c'était juste pour m'en remettre, pour passer à autre chose.

Ce coup en-dessous de la ceinture me fait grimacer.

— Je sais. Je sais bien. Cette histoire… est complètement partie en vrille, dis-je, la tête baissée, le front appuyé dans les mains.

— Qu'est-ce qui t'a pris de mettre en ligne ces tutos ?

— J'avais besoin d'argent pour aller à New York avec April et le club de maths, et mon père ne peut pas tout payer, expliqué-je d'une voix étouffée.

— Le club de maths ? Tu devais participer à ce voyage ? Je croyais que tu venais au bal de promo avec moi.

— Oui. J'ai… j'ai changé d'avis pour New York, quand tu m'as invitée.

L'expression de son visage confirme que je n'aurais jamais dû le lui dire.

— Tu te fous de moi ? Tu allais renoncer à un voyage à New York pour une simple soirée avec moi ? Je comprends maintenant tous ces mails d'injures que j'ai reçus d'April depuis 48 heures.

Le silence retombe entre nous.

— Je… je n'arrive pas à le croire, finit-il par ajouter. Tu penses que tu m'as piqué à Taylor ? Tout ce qu'on a fait, tous les moments qu'on a passés ensemble… tu m'as embrassé, peloté, uniquement pour de l'argent ? Histoire de poster le résultat sur Internet ? Tu n'as jamais été sincère ?

Son expression de bête blessée me fait une peine immense. À l'écouter, on croirait que j'ai passé le petit mois qu'a duré notre relation à lui piétiner le cœur – et c'est peut-être le cas, je ne sais plus quoi penser. Alors je ne peux pas m'en empêcher : je me mets à pleurer.

— Bien sûr que si, dis-je entre mes larmes. J'étais sincère, je te le jure. Ce n'est pas parce que j'en ai fait des tutos que je n'avais pas de sentiments pour toi. J'en avais. J'en ai toujours.

Il se détache du mur en se frottant les yeux.

— Tu sais quoi, Renley ? Avec toi, j'ai supporté bien plus que tout ce que j'ai jamais dû endurer de la part de Taylor. Et crois-moi, ce n'est pas peu dire. Tu m'as manipulé, tu es passée à deux doigts de me tromper avec un autre, je me suis même pris une correction à cause de toi, tu as bâti notre relation sur un mensonge et tu l'as racontée par le menu au monde entier. Tu sais que maintenant, tous mes amis savent exactement comment me faire jouir avec une seule main ? Pas n'importe quel gars dans la rue, pas un mec lambda, Renley. Moi.

— S'il te plaît, Seth. Écoute-moi...

— J'en ai marre de t'écouter. Je ne sais même pas ce que je fais encore là.

Il attrape son blouson, que j'ai laissé par terre à côté de moi. Une minute entière s'écoule après son départ, pendant laquelle je n'arrive plus à respirer.

Drew. Comment a-t-il pu me faire une chose pareille ? Tout le monde va être au courant. Tout le monde est sûrement déjà au courant, il faut être plongé dans le coma à l'hôpital pour avoir échappé à la nouvelle.

Je me relève sur des jambes chancelantes, mon sac à dos serré contre ma poitrine. Et je jure que je n'exagère pas : tout le monde me dévisage. Même les filles qui ne se maquillent pas, ne se cherchent pas de petit copain et ne boivent jamais vont finir par entendre parler de la rumeur. Je me glisse en cours de maths, poursuivie par ces regards insistants et ces murmures. Sam, Sophie et Ash m'épient d'un air malveillant, tordues de rire toutes les deux minutes, et j'ai même la sensation que certains profs me regardent de travers. C'est horriblement déstabilisant. J'ai en permanence envie de vomir.

Il faut que je retire toutes les vidéos. Peut-être même que je change d'établissement. Ici, je ne peux plus regarder personne en face. Et hors de question d'aller en cours de cuisine. Alors je fais en sorte de survivre à la matinée, puis je rentre chez moi à l'heure du déjeuner. Pour une fois, je suis contente d'avoir cette heure de libre juste avant la pause, elle me permet de m'éclipser plus tôt encore que prévu.

Je grelotte de froid sans le blouson de Seth.

J'agonise à petit feu, allongée sur mon lit. La ronde infernale de mes pensées défile dans ma tête, si vite que je n'arrive pas à en saisir une seule. On frappe à ma porte. Avec autorité. Mon père entre dans la pièce sans attendre ma réponse. Je me redresse, étonnée. Il doit croire que je suis malade puisque je suis rentrée plus tôt. Il veut sans doute me réconforter. Il m'apporte peut-être un chocolat chaud ? Je ne dirais pas non.

Mais son regard furieux me détrompe tout de suite.

— Qu'est-ce que c'est… que… ÇA ? beugle-t-il.

Et il jette une énorme pile de papiers par terre à mes pieds. Je dois sauter de côté pour éviter de me les prendre sur les jambes.

— Quoi ?

Il ramasse trois feuilles – des captures d'écran de vidéos, mais pas que – et se racle la gorge.

— « Première étape. Déboucler la ceinture du garçon. C'est une étape très importante, pour des raisons évidentes. Deuxième étape… »

Je lui arrache le papier des mains et le colle contre ma poitrine.

— Tu en as vu combien ?

— Tous. Je suis allé voir sur Internet, tu imagines bien.

Je vais mourir. M'écrouler là foudroyée.

— Comment as-tu…

Je connais la réponse, mais j'ai besoin de l'entendre.

— Drew est passé ce matin juste après ton départ, avec cette jolie liasse imprimée.

Je manque de m'étrangler.

— Encore lui ? Je… Je vais…

Je ne sais même pas comment terminer ma phrase.

— Je crois que j'avais mal jugé ce garçon, s'exclame mon père, plus pour lui-même que pour moi. Il m'a tout raconté. Ces… Ces histoires ignobles, Renley, ça ne te ressemble pas, ce n'est pas toi.

Les larmes me piquent les yeux.

— Si, Papa. C'est moi. Voilà qui je suis vraiment. Et je suis désolée que tu me détestes, comme tous les autres.

Avec une grimace de dégoût, il ramasse une autre feuille, le début du sujet sur la gueule de bois, je crois.

— Vraiment ? Ivre morte ? À boire des shots toute la nuit avec des gens que tu ne connais même pas ? C'est toi, ça ? C'est la Renley qui vit sous ce toit depuis qu'elle est née ? La Renley qui était tellement contente d'aller au planétarium à New York qu'elle en parlait du matin au soir jusqu'à ces deux dernières semaines ? La Renley qui passe ses week-ends à bosser son algèbre et à fréquenter le club de maths ? Cette Renley-là ?

Les sanglots m'étranglent, m'empêchent de respirer.

— Oui.

Il m'observe avec ses yeux de Papa. Ceux qui disent : « Je t'aime et tu me déçois tellement que je ne le supporterai pas. » Le pire des regards qui soit. Mes copines disent souvent que leurs mères sont des championnes quand il s'agit de les faire culpabiliser mais, chez moi, le roi dans ce domaine, c'est mon père. Il retourne le couteau dans la plaie.

— Je ne sais pas ce que j'ai mal fait.

Le coup de grâce.

— Papa…

— Non. Ni excuses, ni explications. Ce que j'ai fait jusque-là ne fonctionne clairement pas. Alors tu es… tu es interdite de sortie.

Dans sa bouche, ces mots sonnent si étrangement que je ne les comprends pas tout de suite. Mon cerveau ne les enregistre pas immédiatement.

— Je suis quoi ?

— Interdite de sortie.

— Oh, ça va, Papa, je t'en prie !

Je me dirige vers la porte mais il tend la main pour la claquer. Je le regarde comme s'il venait de lui pousser des cornes, les yeux écarquillés.

— Non. Tu es interdite de sortie. Pour de vrai. Pas de visites. Pas de téléphone. Et certainement pas d'Internet. Ce week-end, tu as le droit de lire, de faire des maths et, surtout, de réfléchir à tes actes.

Pour lui, il s'agit d'une grande première. Il en oublie même en sortant de me confisquer smartphone et ordinateur. Quel amateurisme, quel phénoménal manque d'expérience dans le domaine de l'autorité...

Je me rassieds doucement sur mon lit, plongée dans mes pensées. Interdite de sortie. Pour la première fois en cinq ans, me voilà punie. Je devrais être folle de rage, être en train d'accabler mon père de reproches, la bave aux lèvres ? Eh bien non. Je ne suis pas ravie, c'est sûr, mais je ne suis pas non plus... fâchée contre lui. Cette histoire n'a décidément aucun sens.

Je caresse distraitement mon couvre-lit en me remémorant les événements de ce matin. Et ce faisant, je sens sous mes doigts une texture différente de celle de la laine. C'est une feuille de papier, ornée d'une très belle écriture, celle de Stacey. Mon père a dû la laisser là.

Même si ça me soûle, je n'ai pas la moindre envie de désobéir à mon père, et comme je n'ai rien d'autre à faire, je lis le petit mot qu'elle m'a adressé.

Leelee, (je lève les yeux au ciel)

Je suis bien consciente que tu ne m'aimes pas. Pour être franche, je sais que tu me détestes. Tu as été on ne peut plus claire, et je peux comprendre ton point de vue. Après tout, j'ai détruit ta famille. J'avais espéré qu'avec le temps, tu en viendrais peut-être à me pardonner. Mais ça n'a pas l'air de devoir se produire. Je ne t'en veux pas du tout, sache-le. À seize ans, j'aurais sans doute réagi de la même manière que toi.

Ce que je voulais te dire, c'est que, quoi que tu penses de moi, moi, je t'aime. Je tiens à toi. Je te souhaite tout le bonheur possible. Je ne suis pas ta mère, mais je tiens à toi. J'ai regardé tes tutoriels. Pour tout dire, je te suis depuis quelque temps déjà, la mère d'une de tes camarades m'en avait parlé. Je consulte surtout la catégorie « style et tendances ». (Pas de panique, je n'ai pas utilisé tes conseils pour embrasser ton père.) Mais je te connais, je sais qui tu es, et qui tu n'es pas. Et tu n'es pas cette fille-là.

Je le sais bien : moi-même, j'ai sacrifié beaucoup de choses, à une époque, pour être plus populaire, mieux appréciée... ou plus jolie, peu importe. Moi aussi, j'ai été ado. Ton père ne comprend peut-être pas vraiment. Mais moi, si. Sache que je ne te juge pas. Mais j'espère que tu vas prendre un peu de temps pour réfléchir à qui tu es, et à qui tu veux réellement être. Aucun de nous n'a envie de perdre la Renley qu'on a appris à connaître et à aimer.

Je t'embrasse très fort,

Stacey

Je relis la lettre plusieurs fois. Après la quatrième ou cinquième, je la serre dans mon poing et je me mets à pleurer.

TUTO N°28 :
PERDRE TOUT CE QU'ON POSSÈDE

Les parents ne vous privent jamais d'école. Et c'est bien dommage que je ne puisse pas rester à la maison, parce que l'idée de sortir, de me retrouver face aux autres, me donne purement et simplement envie de vomir. Assez pour justifier un arrêt maladie, j'en suis quasiment sûre. Je transpire à grosses gouttes en enfilant mon jean et la nausée me tord l'estomac quand je mets mon T-shirt.

Je ne peux pas y aller. Je ne peux pas. Je ne peux pas.

Mais il le faut.

Je sors en silence, le genre de silence qui pèse une tonne sur mes épaules. Il y a trop de neige pour me rendre au lycée en courant alors je surmonte ma phobie et je prends le bus. Je suis déjà au trente-sixième dessous, rien ne pourra plus empirer la situation.

Les épaules voûtées en avant, je fixe le sol en montant à bord et je m'efforce d'ignorer les gloussements suraigus des troisièmes. Je m'assieds à côté d'un petit qui ne parle jamais et lit des BD, parce que je doute que mes mésaventures lui soient revenues aux oreilles. Casque vissé sur la tête, je ferme les yeux le temps du trajet.

Quand le bus s'arrête, je suis les autres dehors et je me dirige lentement vers l'entrée. Après avoir pris deux ou trois profondes inspirations, je pousse la porte du lycée.

On dirait un de ces cauchemars où on se retrouve nu dans un endroit public. Tout le monde vous regarde, se tord de rire et vous pointe du doigt d'un air de dégoût. J'ai l'impression que tous les élèves jusqu'au dernier (et même le personnel) sont au courant.

— Eh, Renley !

Je me retourne, choquée que quelqu'un brise mon isolement, et je découvre Sam.

— Génial, tes tutos. J'ai particulièrement apprécié le compte rendu détaillé de tes relations sexuelles avec le copain de Taylor.

— Ce n'était pas le copain de Taylor, c'était le mien.

— Était ? Alors comme ça, tes incroyables prouesses ne lui ont pas suffit ? Vraiment dommage…

Les bras croisés sur la poitrine, je me rends compte que je suis au bord des larmes.

— C'était juste des trucs mis en ligne sur Internet. Je n'ai jamais rien publié qui ait le moindre rapport avec toi. Pourquoi est-ce que tu t'en prends à moi ?

— Parce que tu n'es qu'une sale hypocrite ! crache-t-elle. Et tu n'es plus personne, maintenant. Tu as fait du mal à Taylor. Oui, j'étais son amie avant d'être la tienne. Ce n'était pas assez clair, peut-être ? Et maintenant, tout le monde sait quelle sale petite traînée superficielle tu es. Toutes mes félicitations.

Je ravale mes larmes et m'éloigne à grand pas dans le couloir.

— Et je veux ma commission pour l'astuce du Sprite et de la soupe mexicaine ! hurle-t-elle dans mon dos.

Je me précipite en cours de maths pour parler à April, mais elle n'est pas là. Petit bonheur supplémentaire, M. Sanchez prend le relais en passant devant ma table.

— Je suis navré d'apprendre que tu ne seras pas des nôtres à New York, Renley.

Il parle d'une voix glaciale... On est où, là ? En cours de cuisine ? Cette seule pensée me déprime et je prie durant toute l'heure de maths et celle de littérature que Seth soit absent. Mais il est là et bien là.

Je m'approche sans le regarder. Les dents serrées, il fixe un point droit devant lui.

— Tu ne vas pas changer de place ? lui dis-je.

Il abaisse sur moi un regard méprisant.

— Si tu veux changer, change.

C'est la seule et unique fois qu'il m'adressera la parole. Bien sûr, il ne m'aide pas à mélanger mes ingrédients, ne s'esclaffe pas au spectacle de mes pitoyables tentatives de flirt, ne lâche pas même une petite remarque cinglante. Pas un mot, rien.

Quand le cours se termine, je n'ai qu'une envie : aller vomir dans les toilettes et attendre que les couloirs soient déserts pour m'éclipser sans personne pour me lancer des regards narquois, parler à voix basse de ce que je fais avec ma langue quand j'embrasse un mec ou tenter de deviner où se trouvent tous les suçons que j'ai dissimulés.

Mais je ne cède pas à mon impulsion : je me contente de me faire toute petite, de forcer le passage dans la foule et de m'enfermer chez moi quand je rentre à la maison.

Le lendemain, ô joie, quelqu'un a rempli mon casier de Sprite, de soupe mexicaine de la veille et de vieux préservatifs.

Le jour suivant, je fais les gros titres du journal de l'établissement. Les élèves les plus méprisés, ceux qui sont tout en bas de la hiérarchie sociale du lycée, font assaut d'esprit pour me casser du sucre sur le dos, désormais. Toujours aucun signe de vie d'April, mais j'avoue que j'ai du mal à m'en soucier. J'y viendrai sans doute.

Jeudi, je choisis d'être malade pour pouvoir rester à la maison, mais mon père, qui a décidé récemment de se comporter en véritable parent, me force à y aller. Taylor, Sam, Ash et Sophie s'appliquent à faire comme si je n'existais pas, imitées par toute l'école à l'exception notable de Gary qui me demande de le suivre au local poubelles pour une démonstration de tous mes tutos les plus coquins. Naturellement, je décline l'invitation.

La semaine qui précède les vacances de Noël est la première depuis le collège que je passe à déjeuner seule. Toute seule.

Les six jours suivants sont absolument affreux. C'est Noël, une période habituellement synonyme de grasses matinées, de cadeaux et de chocolats chauds, donc ça pourrait être pire, non ? Mais je suis coupée de tout moyen de communication, donc livrée à moi-même pour affronter la terrible situation qui est la mienne. Entourée de ma famille, mais au final, vraiment toute seule. Mon père a assoupli un peu l'interdiction qui m'est faite d'envoyer des SMS, mais j'ai découvert que même si quelqu'un tentait de prendre contact avec moi, je n'avais en général pas envie de parler. De toute façon, les individus susceptibles de m'adresser la parole se comptent sur les doigts d'une main.

April, en revanche, a dû appeler une douzaine de fois ces derniers jours, sans exagérer. Et Drew nettement plus souvent qu'elle encore. Le truc, c'est que je ne sais pas quoi leur dire. J'ai tenté des milliers de fois de préparer mon discours, en vain.

Que dire à la meilleure amie qu'on a trahie juste pour pouvoir accompagner un beau gosse dans une soirée dansante comme il y en a des milliers ? Mon envie profonde – et ça, il m'a fallu 144 heures de confinement pour le deviner – c'était que tout le monde me remarque. Je me rêvais en Barbie scintillante au bras du plus beau garçon du lycée.

Quand on parle du loup, Seth ne m'a pas adressé la parole depuis des jours, et ça fait mal. Je meurs d'envie de lui parler, mais je ne sais pas comment l'aborder. Il se sent trahi, ce qui peut se comprendre : j'ai révélé toute notre vie intime à de parfaits inconnus pour de l'argent.

Mais le pire, c'est Drew. C'est avec lui que ma peine et mon mutisme sont les plus prononcés. Que dire ? Je suis toujours assez énervée, c'est vrai, qu'il m'ait trahie. Et puis, sérieusement, il y a deux ou trois tutos plus salés que les autres qu'il aurait tout de même pu épargner à mon père. Mais pour être honnête, il avait raison. Il avait raison et j'avais tort et c'est la vie... Mais après tout ce que je lui ai balancé à la figure il y a deux semaines, je ne sais même plus comment le regarder en face.

Alors, paralysée par la peur, je ne fais rien. Je préfère me tourner vers mon ordinateur.

Chers abonnés,

Comme certains d'entre vous (la vaste majorité d'entre vous, sans doute) le savent, mon identité a été révélée récemment. Je vous écris donc pour cracher le morceau et vous confirmer que oui, c'était bien moi. Je m'appelle Renley, et j'ai commencé à poster ces tutos pour me faire un peu d'argent mais, ce faisant, j'ai sacrifié beaucoup. J'ai perdu des amis, des petits copains, et même des proches qui ne rentrent dans aucune de ces deux catégories, je crois. Et je me suis perdue moi-même. J'ai perdu de vue qui j'étais vraiment.

Par conséquent, j'ai décidé d'arrêter *Sweet Life*. Je ne répondrai plus à aucune de vos questions. Je laisse les tutos en ligne, je n'ai pas envie d'effacer

toutes les erreurs de mon passé, de faire comme si elles n'existaient pas. Mais considérez ceci comme un adieu.
Merci à tous d'avoir pris le temps de lire ce message.
SweetLifeCoach, alias Renley Eisler

Une fois ce post mis en ligne, j'ai eu l'impression que l'énorme brique qui pesait sur ma poitrine avait disparu. C'est fini. Le chemin de croix qu'a représenté la dernière semaine de cours, ma solitude absolue pendant les vacances... Ce sera à coup sûr horrible à la rentrée – la ronde va reprendre, une succession de moments d'invisibilité presque insupportables, comme si je n'existais plus aux yeux des autres, entrecoupés d'instants de notoriété très malvenus. Mais après avoir publié ce texte, je me sens libérée d'un poids. Je crois qu'il est temps de tourner la page. Alors, quand April appelle pour la treizième fois, je parviens enfin à décrocher.

— Allô ?

— Tu es vivante.

— Oui, mais ce n'est pas passé loin.

Longue pause.

— Tu peux venir chez moi ? finit-elle par demander.

— J'arrive.

J'enfile le nouveau manteau que j'ai demandé à Noël et, maintenant que je ne suis plus assignée à résidence, je sors. Arrivée chez April, je sens ma nervosité revenir au grand galop. C'est sa mère qui m'ouvre. Son petit air poli me semble un peu forcé. On est loin de l'énorme sourire qu'elle arbore habituellement.

— Renley. Ravie de te voir.

— Oui, dis-je en évitant son regard, les mains dans les poches. Est-ce que… Euh… Est-ce qu'April est là ?

— Monte, je t'en prie.

Elle s'efface pour me laisser passer, glaciale. Je grimpe les escaliers à pas lents et j'entrouvre la porte d'April, qui ne lève pas la tête. Quand j'arrive à sa hauteur, je comprends pourquoi. Elle a le visage rouge, gonflé, et les yeux injectés de sang. Or April ne pleure jamais.

— Pourquoi tu ne décroches pas ton téléphone ? me demande-t-elle sans me regarder.

— Mon père m'a coupé toutes les communications jusqu'à il y a quelques jours. Et j'ai… avec tout ce qui s'est passé, le scandale qui a éclaté au lycée, je n'avais pas vraiment envie de parler.

— Je vois.

— Mais je suis là maintenant. Donc à toi l'honneur, n'hésite pas à me hurler dessus librement.

Elle me dévisage, perplexe.

— À cause de tes tutos ?

— Oui.

— Mais je m'en fiche complètement.

— Ah bon ? Alors pourquoi m'avoir appelée ?

— Renley, tout ne tourne pas toujours autour de toi ! Ce sont les vacances de Noël.

Je la dévisage sans comprendre.

— Ce qui veut dire qu'on est en décembre.

Toujours rien.

Elle en reste bouche bée. Alors seulement, je remarque qu'elle écoute de la musique country sur son smartphone. April a une sainte horreur de la country.

Je m'étrangle, horrifiée.

— Oh non… Keith ! C'est pour ça que tu n'es pas venue en cours la semaine avant les vacances et… Je suis désolée. J'ai complètement…

— Oublié ? Ça s'est vu, oui. Bon bah il est parti maintenant.

Je me précipite à côté d'elle, sur son lit, envoyant valser quelques coussins au passage.

— Je suis tellement désolée ! Je n'arrive pas à croire que j'ai oublié qu'il partait.

— Moi si. Tu as été incapable de penser à autre chose qu'à toi-même ces derniers mois. Alors mon frère, quel intérêt ? Il ne risque pas de t'embrasser à pleine bouche.

— Ce n'est pas juste, dis-je d'une voix faible.

Elle me lance un regard appuyé.

— O.K. O.K., tu as raison… Alors, il est parti ? Quand est-ce qu'il revient ?

— Début mars.

Avec ses cheveux en bataille et ses yeux rouges et secs, elle a l'air d'un zombie.

— Mais ensuite, on ne sait pas où il sera affecté. Il pourrait être stationné aux États-Unis ou envoyé par exemple en Irak. Ou en Afghanistan. Bref, n'importe où. J'ai juste…

Elle ramène ses genoux contre elle, tête baissée, et ses épaules se mettent à trembler.

Je m'approche d'elle, mais j'hésite. Si je la prends dans mes bras, est-ce qu'elle va me mordre ? J'ai enchaîné les bourdes et les marques de mépris, je n'ai même pas pris la peine de l'appeler après une semaine entière d'absence, j'ai raté le départ de son frère… Mais je me secoue : ce n'est pas de moi qu'il s'agit, enfin ! Je suis là pour April, il est temps pour moi d'agir en amie. Alors je la prends dans mes bras. Je la serre contre moi, hésitante au début, puis plus fort, et elle me rend mon étreinte, le visage baigné de larmes.

La situation ne me semble pas tout à fait normale. Je n'ai jamais tenu une April en pleurs contre moi auparavant. Mais c'est plutôt agréable.

— Je suis désolée de ne pas avoir été là.

— Et moi donc, me répond-elle.

— Quand est-ce qu'il est parti ?

— Il y a quatre jours. Je ne devrais pas pleurer comme ça, mais… mon frère me manque.

— C'est pour ça que ta mère fait cette tête ?

— En partie. Mais tu n'es pas trop en odeur de sainteté, si tu veux savoir.

C'est douloureux, mais justifié. Mais douloureux.

— J'ai vraiment été à chier, pas vrai ?

— Pire encore.

Je fronce le nez. J'aurais préféré qu'elle confirme avec un peu moins d'enthousiasme.

— Donc tu vas toujours à New York ?

Ses yeux s'assombrissent légèrement.

— Oui. Il y a intérêt. Je ne vais pas passer à côté du voyage de ma vie juste parce que mon ex-meilleure amie a décidé de me lâcher. Je traîne pas mal avec Amy et Rory maintenant, et elles y vont. On va s'éclater.

« Ex-meilleure amie ». Aïe, ça pique.

— Et Cash ?

À l'énoncé de son nom, une étincelle espiègle s'allume dans les yeux d'April.

— Il vient aussi bien sûr. J'ai hâte !

— J'aimerais bien venir aussi.

— Trop tard, et c'est de ta faute.

— Je sais, soupiré-je. Mais au moins maintenant je me rends compte à quel point j'ai été bête. À quoi je pensais, sérieux ? Annuler un voyage à New York pour assister à une soirée où tout le monde veut aller, certes, mais dont tout le monde se moque ensuite ?

— Complètement ridicule.

Le silence retombe un moment.

— Seth et toi vous êtes toujours…

Je secoue la tête sans lui laisser le temps de finir sa phrase.

— Non. Enfin… tu as lu les trucs que j'ai écrits ? Personne ne voudrait sortir avec moi, après ça.

— Il m'a appelée, tu sais.

Je ne cache pas ma surprise.

— Ah bon ?

— Oui. Hier. Il voulait savoir ce que je pensais de tout ça. De toi.

La gorge nouée, je demande :

— Et qu'est-ce que tu lui as dit ?

Je lève les yeux au plafond, agrippée à mon jean. Je connais la réponse et je n'ai pas envie de l'entendre.

— Je lui ai dit que tu t'étais montrée horrible avec moi. Vraiment atroce.

Je le mérite.

— Et que je ne supportais pas de penser à toi.

Ça aussi.

— Et puis je lui ai dit que tu avais été ma meilleure amie pour une bonne raison, et que ce qu'il avait vu, ce n'était pas toi. Et que tu finirais par redevenir toi-même s'il t'en donnait le temps.

— Ah bon ?

— Oui.

— Et qu'est-ce qu'il a répondu ?

— Pas grand-chose. Mais je crois… je crois que ce n'est pas tout à fait fini entre vous, si tu en as envie.

Mon cœur s'emballe, ce qu'il n'a pas fait depuis quelque temps. Je contemple le visage d'April, les yeux humides.

— Merci…

— Je t'aime, tu sais, Renley.

Elle a le regard grave. Elle n'ajoute rien, mais je sais que les choses sont différentes entre nous à présent. Peut-être pas pour toujours. En tout cas, je l'espère. Elles sont craquelées, fêlées. Mais ce n'est pas si grave. Et je vais arranger ça, je le jure.

— Moi aussi je t'aime, dis-je au bord des larmes.

Et pour la seconde fois aujourd'hui (décidément), je la prends dans mes bras. Quand je m'écarte, elle a toujours le regard voilé par la peine.

— Tu sais, tes cheveux bleus sont en train de tourner au vert.

— Et toi, tu as des sacrées racines.

— J'ai amené de la teinture. Elle est dans ma voiture.

Cette fois, quand elle sourit, elle est sincère.

— Va la chercher.

Ça ne me dérange même pas de m'aventurer dans le froid et la neige. Je suis juste… heureuse. Je ne sais pas du tout si notre relation va redevenir comme avant, ni combien de temps ça risque de prendre. Mais pour l'instant, tout va bien. Et je me sens bien.

JANVIER

TUTO N°29 : COMPRENDRE QUELQUE CHOSE D'IMPORTANT

Il ne me reste qu'une seule chose à faire ce soir. Une chose qui me terrifie. J'en ai l'estomac et la gorge noués, et mon cœur bat la chamade. Mais si je ne prends pas les choses en main, je vais le regretter pour toujours.

Je repousse l'échéance plusieurs heures durant – ça fait deux jours que dure ce petit manège. Tout s'est plutôt bien passé avec April, alors je n'arrive pas à croire que j'aie attendu quarante-huit heures pour aller parler à Drew. Mais c'est… c'est terrifiant, vraiment. Cela dit, c'est encore plus terrifiant de rester là à ne rien faire. Il doit y avoir un seuil limite dans ce genre de circonstance, et étant donné qu'il a arrêté de m'écrire hier, j'ai peur qu'il soit sur le point de l'atteindre.

Alors je m'habille et me risque dans la neige jusqu'à sa fenêtre. Après une seconde d'hésitation, j'inspire un grand coup et je toque au carreau. Drew écarte le rideau. Il fronce les sourcils, sans sourire, et me dévisage. C'est de bonne guerre.

— Je peux entrer ?

J'articule bien pour qu'il m'entende derrière la vitre. Il ouvre et je me glisse à l'intérieur. Il est torse nu. Bien entendu.

— Aucune fille dans ta chambre ? Il est tard, c'est les vacances et pourtant tu es seul… Que se passe-t-il ?

Son expression grave se fait amusée et tous mes muscles se détendent en même temps. La trêve sera peut-être de courte durée, mais je prends.

— Non, pas de nouvelles partenaires depuis un bail. J'essaie de régler l'un de mes nombreux petits problèmes.

Et voilà. Tout mon corps est de nouveau tendu à craquer. Il ne va pas me laisser m'en tirer sans explication. Et il a bien raison, en plus.

— Alors ça nous fait un point commun, dis-je, une fois assise sur son lit.

— Ah oui ? Toi aussi tu as décidé d'arrêter de te taper une nouvelle fille chaque nuit ? Bravo.

— Pff… Tu aimerais bien que ce soit l'un de mes problèmes, pas vrai ?

— J'avoue, sourit-il.

Je fais la grimace.

— Moi aussi j'ai… un peu réfléchi, ces derniers temps.

Le matelas grince quand il s'assied à côté de moi.

— Dis-moi tout.

— Je me suis réconciliée avec April.

— C'est bien, commente-t-il.

— Et j'ai arrêté les tutos.

— J'ai vu.

— Cyber-harceleur que tu es.

— Peut-être un peu.

J'ai la gorge tellement sèche à cet instant que je suis surprise de pouvoir pleurer. Et pourtant les larmes montent d'un coup, toutes seules.

— Je suis…

La voix coincée dans la gorge, je mets un peu de temps avant de pouvoir poursuivre. Il patiente jusqu'à ce que je puisse parler à nouveau.

— Je suis tellement désolée, Drew.

Il ne répond rien.

— La dernière fois qu'on s'est vus. Je n'arrive pas à croire ce que j'ai pu te raconter. Quand j'y repense, j'ai l'impression que c'est quelqu'un d'autre que moi qui parlais. Je t'ai vraiment dit que tu ne voyais pas plus loin que la monumentale érection que je t'inspirais ?

Il hausse les épaules, fataliste, et hoche la tête.

— Oui. Cela dit, il faut bien admettre que c'était très poétique.

Je courbe l'échine, accablée.

— J'ai été odieuse.

— Je ne vais pas te dire le contraire.

— Tu acceptes encore ma présence ici ?

Je me prépare au pire. Parfois, il y a des limites à ce qu'on peut accepter d'un être cher.

Son éclat de rire me prend par surprise – il faut dire que la situation me paraît tellement étrange. Je ne comprends pas grand-chose à ses réactions.

— Tu crois que je veux que tu t'en ailles ?

— J'espérais que non.

— Écoute, tu as été odieuse. Ignoble, même. Et je n'en reviens toujours pas quand je me rappelle les horreurs que tu m'as débitées ce soir-là… Sans oublier le contenu de certains de ces tutos. Ça ne te ressemblait tellement pas. Mais cette fille-là, ce n'est plus toi. Elle a disparu, je me trompe ?

— Je te le promets.

— Alors on s'en fout. Maintenant, si ton double maléfique se montre à nouveau, préviens-moi, que je la mette dehors *illico*. Mais toi ? Je ne te demanderai jamais de partir.

Je pose la tête sur son épaule et lui me prend la main. Il n'y a rien de sexuel entre nous, c'est simplement réconfortant. Son pouce caresse chaque centimètre carré de ma peau et il finit par entrelacer nos doigts.

— Comment ça va, de ton côté ? me demande-t-il.

— C'est-à-dire ?

— C'est-à-dire que j'ai révélé des informations … assez cruciales dirons-nous… à un assez grand nombre de personnes, certaines plutôt importantes. Tu en es où ?

— Bah, maintenant ça va. Enfin, le jour J, j'ai failli commettre un meurtre. Et mon père ne s'en remettra sûrement jamais. De toute la vie. (Je me redresse.) Franchement, tu n'aurais pas pu laisser cette histoire de masturbation de côté ? Quand même…

Il se marre.

— J'avoue que c'était un peu sévère. Le pauvre, il a dû déguster… Même si, pour tout dire, je suis presque certain qu'il s'imaginait bien pire entre toi et moi, alors au final…

— Oui. Tu n'imagines pas le nombre de fois que j'ai dû corriger cette impression, et pas seulement auprès de lui. Tout le monde en avait l'air persuadé.

— Étrangement, je crois qu'il m'aime bien, maintenant. Incroyable, non ?

— Oui. Dévoiler à un père les agissements sexuels de sa fille, ça permet de gagner des points, semble-t-il. Qui l'eût cru ?

— Tu devrais rédiger un tuto là-dessus, non ?

Je souris contre son torse.

— Ça ira, merci. Tu sais, ajouté-je après une petite pause, c'est plutôt ironique que mon père décide de t'apprécier maintenant que tu n'es plus amoureux de moi.

Son pouce cesse de caresser ma main.

— Maintenant que quoi ?

— Je ne me fais pas d'illusions, tu sais. Je sais que j'ai été à vomir. Je ne dis pas ça pour te gêner, je me disais juste que c'était sacrément ironique.

Reconnaître à voix haute que j'ai perdu la première place dans son cœur me fait beaucoup plus mal que je ne le pensais, en fait. Mais ma douleur n'y changera rien. Je dois me faire une raison.

Il tourne mon visage vers le sien.

— Rien n'a changé pour moi, Renley. Je te l'ai déjà dit, pourtant. Je ne cesserai jamais de t'aimer.

— Qu... Quoi ?

— Je ne peux pas être plus clair. Je t'aime depuis... depuis plus longtemps que je ne veux bien me l'avouer.

Et ce ne sont pas quelques mois d'égarement qui vont changer mes sentiments.

— Je… Tu…

— Ne dis rien, ce n'est pas grave.

J'entends son cœur battre dans sa poitrine, tout contre mon oreille. Au bout d'une éternité, il ajoute :

— Est-ce que… est-ce qu'au fond de toi tu ne ressens pas un tout petit peu la même chose ? Réponds-moi en toute honnêteté. Je saurai encaisser. C'est juste que… Après nos séances dans mon sous-sol et dans les bois, je… enfin… mon petit cœur fragile ne sait plus où il en est.

Il rit à voix basse. Je réfléchis un instant. J'ai toutes les cartes en main. Est-ce que je l'aime ? Est-ce que je peux l'aimer ?

— Écoute, pour être honnête, j'ai peut-être des sentiments pour toi, mais je ne peux pas t'aimer, Drew.

— Pourquoi ?

— Parce que tu finiras par te lasser de moi.

Il pousse un soupir irrité.

— Ce ne sont pas des blagues. Réfléchis-y sérieusement. Par exemple, si je ne voulais pas coucher avec toi ? Tu n'irais pas voir ailleurs, au bout d'un moment ?

— On s'en fiche.

Je le regarde, sceptique.

— Bon, d'accord. Je suis un garçon. C'est important pour moi. Mais si tout ce que tu veux faire c'est me rouler des pelles pendant un an, ou jusqu'à la fac, ou jusqu'à ce qu'on se… enfin… qu'on se marie par exemple, je m'en fiche.

— N'importe quoi.

— C'est vrai. Et ne panique pas, je ne suis pas en train de te demander en mariage. Mais je te dis que ça ne me dérangerait pas.

— Et la prochaine fille qui vient se pavaner à ta porte en petite tenue avec une énorme poitrine, tu pourrais lui résister ?

— Oui. Et surtout, j'aurais envie de lui résister.

— Et quand je fais n'importe quoi…

— Renley, écoute-moi. Je me fiche des autres filles ou de faire l'amour avec toi maintenant ou plus tard ou de tes fêlures. On en a tous. Si je te dis que je veux être avec toi, c'est que je veux être avec toi. Point barre. Je te le répète : je ne suis pas ton père. Mais… je crois que je n'ai plus envie d'essayer de te persuader.

Je l'observe, sans savoir quoi dire.

— Je t'aimerai toujours, bien sûr. Mais je n'ai pas envie de te convaincre ou de faire pression sur toi. J'aimerais que tu sois libre de tes choix. Je crois…

— Quoi ? dis-je, à voix basse.

— Je crois que je vais te laisser t'en aller.

— Comment ça ?

— Tu n'as pas envie d'être avec moi maintenant. Et je ne peux pas passer mon temps à t'attendre. Tu ne me fais pas confiance et tu as peur que je te quitte. Tu préfères être avec Seth. Bref… Je te laisse partir.

J'ai encore envie de pleurer. C'est tellement débile. Pourquoi ai-je envie de pleurer ?

— Mais avant de te laisser prendre la voiture de ton père pour filer retrouver Seth, j'ai une dernière chose à te dire.

— Quoi ?

Sans me laisser le temps de comprendre, il appuie ses lèvres sur les miennes. Pressantes, puissantes, elles me coupent le souffle. Une main posée sur ma joue, il m'entraîne dans un baiser passionné, à la fois lent et merveilleux. Je n'arrive plus à réfléchir.

Mais il finit par se détacher de moi.

— Je croyais que tu me laissais partir, dis-je, haletante.

— Oui. Mais je veux que tu te rappelles qu'il ne peut pas t'embrasser comme moi. Je compte sur toi pour t'en souvenir.

Avec un grand sourire triste, il me pousse doucement loin de lui.

— Vas-y.

Encore à moitié dans le brouillard, je m'en vais.

TUTO N°30 : ÊTRE MOI

Je traverse la pelouse jusqu'à chez moi sans cesser de me repasser notre échange en boucle. Il fait un froid glacial, la neige s'insinue dans mes chaussettes. Je cours à la maison chercher mon manteau et mon père m'intercepte alors que je m'apprête à ressortir.

— Où vas-tu ?

— Réparer un truc que j'ai cassé.

Il me tapote le bras avec un sourire – étrange signe d'affection paternelle.

— Je peux t'emprunter ta voiture ?

Il me jette ses clés, et je sors en trombe. J'ai le cœur qui bat la chamade quand je démarre le moteur. Selon April, ce n'est pas fini. Après tout ce qui s'est passé au lycée, je ne vois pas comment c'est possible. Mais elle n'aurait pas menti. Pas là-dessus. Je ne devrais pas avoir peur. Mieux : je refuse d'avoir peur. Alors je fonce jusque chez Seth sans me soucier des cahots de la route.

Mais plus j'approche de chez lui, plus je me sens… perdue. Je devrais être surexcitée, incapable de penser à autre chose, non ? À quelques mètres de la maison, pourtant, impossible d'aller plus loin, alors je m'arrête. Une seconde, le temps de me ressaisir.

Quelle est cette étrange sensation ? D'un côté, je meurs d'envie d'aller sonner chez Seth, de trouver un moyen de me faire pardonner, de sentir ses lèvres sur les miennes et ses mains sur mon corps. Mais de l'autre… Eh bien, non, en fait.

Ma tête retombe sur le volant et déclenche le klaxon qui brise le silence de la nuit et me fait sursauter. Je dois me décider à un moment ou un autre. Alors… je choisis de prendre un parti osé. Je fais demi-tour et je reprends la route.

Quand j'arrive chez Drew, sa voiture n'est pas dans l'allée. Le découragement m'assaille une petite minute. Je continue donc à rouler jusqu'au seul autre endroit où il pourrait se trouver. Le seul endroit où il doit forcément se trouver.

Sa voiture est là, phares allumés, garée à notre place habituelle. Je crois qu'il ne remarque pas mon arrivée. Je me range à quelques mètres de lui, m'approche dans l'obscurité glaciale et me penche sur le capot.

Drew est allongé là, les mains derrière la nuque, les yeux perdus dans les étoiles. Elles sont incroyables, ce soir. Il est fasciné, bien sûr.

Mais quand je m'incline davantage, il tourne la tête vers moi.

— Tu n'as pas oublié ton manteau, dit-il.

— Non. Je suis une adulte maintenant, je crois.

Je me hisse sur la voiture, puis me glisse à côté de lui. Il n'étend pas le bras pour que je puisse poser la tête au creux de son épaule. Il se tourne à nouveau vers le ciel.

— C'était bref, vos retrouvailles, fait-il remarquer.

— Oui, sûrement parce qu'elles n'ont pas eu lieu.

Il ne quitte pas les étoiles des yeux, alors je me redresse sur un coude pour le regarder.

— Ah bon ? fait-il paresseusement. Pourquoi ça ?

— Parce que je n'en avais pas envie.

Il bouge la tête d'un quart de millimètre, hausse un sourcil inquisiteur.

— Quoi... Tu as eu peur qu'il refuse de se remettre avec toi ?

— Non. Enfin, un refus paraîtrait logique, mais d'après ce que disait April, je crois bien qu'il aurait accepté.

— Alors qu'est-ce tu fais là ?

— Je te l'ai dit. Je n'ai pas eu envie de tenter le coup.

Il fronce les sourcils. Il n'a pas l'air de vouloir comprendre. Alors je glisse une main derrière sa nuque pour attirer son visage vers moi. Nos lèvres se rencontrent. C'est un feu d'artifice de sensations. Jamais je n'ai connu baiser plus ardent.

Sa surprise s'évanouit en un instant. Le capot de la voiture s'affaisse un peu plus quand il monte sur moi, sa langue toujours entre mes lèvres. Je me laisse aller en arrière. Mes ongles caressent doucement son dos sous son T-shirt. Je sens la chair de poule naître là où passent mes doigts. Il m'effleure la nuque à la naissance des cheveux.

Nous restons ainsi un long moment – j'ignore combien de temps – jusqu'à ce qu'il se détache de moi.

Il halète, à bout de souffle. Apparemment, il est sans voix.

— Tu... Tu... Quoi ? Je ne comprends pas. Je suis ravi, attention, mais il faut que tu m'expliques, là.

Ses doigts qui effleurent ma hanche me procurent une série de délicieux frissons.

— J'étais presque arrivée chez Seth, mais... je n'ai pas pu.

— Et pourquoi pas ? chuchote-t-il d'une voix rauque.

— Parce que je crois que ces deux dernières années, j'avais la trouille. Je ne supporte pas l'idée de te perdre un jour. Au point que même maintenant, je suis morte d'inquiétude, à vrai dire. À l'idée que je pourrais te perdre, je... Toi, par exemple, ça ne te fait pas...

— Flipper à mort ? termine-t-il. Si.

— Tout à l'heure, je me suis rendu compte que, si je décide de sortir avec quelqu'un d'autre, il faudra bien que je renonce à toi. À une partie de toi, au moins. Et ça non plus, je ne peux pas m'y résoudre. Je ne supporte pas non plus cette idée. Alors, s'il faut choisir, je préfère encore avoir peur. Parce que...

Je détourne les yeux, mais il saisit doucement mon menton pour le tourner vers lui.

— Parce que quoi ?

— Parce que je t'aime.

Il se penche pour m'embrasser à nouveau, lentement, avec tellement de désir, de fièvre, de nostalgie que c'en est quasiment douloureux. Mais ce n'est pas grave, parce que lui et moi, on est libres de poursuivre l'expérience aussi longtemps qu'on le souhaite.

— Je t'aime, Renley.

Il m'embrasse, encore et encore, ses lèvres s'égarent sur mon oreille, dans mon cou, sur tous les endroits que Seth a déjà embrassés et qui me faisaient de l'effet, bien sûr, mais certainement pas comme ça – pas comme si mon corps entier était tout à la fois en feu et plongé dans un bain de glace.

— Je t'ai toujours aimé. Je crois que je t'aime depuis le premier jour, dis-je parce que c'est vrai.

Entièrement vrai. Pour la première fois depuis une éternité, j'ai devant moi quelque chose de parfaitement vrai.

Plus tard, toujours allongés sur le capot de sa voiture, nous contemplons le ciel en silence, car les mots ne sont pas nécessaires. Il se penche pour m'embrasser de temps en temps et je me love au creux de son bras. Et quand le froid commence à se faire si perçant que même mon manteau ne suffit pas, il me donne le sien.

— Tu es en train de m'imaginer nu, lance Drew après voir retiré son T-shirt pour se mettre au lit.

Je roule de grands yeux irrités.

— Tu crois que tout le monde t'imagine nu tout le temps !

— C'est que c'est le cas la plupart du temps.

Il me fait un clin d'œil. Insupportable !

Avec Drew, flirter avec légèreté, comme le font les gens en couple, ce n'est pas aussi étrange que je l'aurais cru. À la rentrée des classes, certains élèves ont paru surpris de découvrir que le dieu du sexe et la paria absolue du lycée étaient ensemble, à présent. Mais leur étonnement est vite passé. C'est parfois un peu troublant de voir Seth tenir la main de Taylor dans les couloirs, ou de croiser April en compagnie d'autres amis que moi. Mais pas tout le temps, cela dit. On y travaille. C'est différent d'avant, mais ça se passe bien.

Avec ma mère, rien n'a changé. Et je ne vais toujours pas à New York en avril. Je ne sais pas si M. Sanchez me pardonnera un jour. Mais quand je suis étendue dans le lit de Drew à regarder la neige tomber par la fenêtre, une bouteille de cidre chaud posée sur la table de nuit, c'est comme si rien, absolument rien, n'avait en fait changé. Et pourtant tout a changé. La vie est bizarre, folle et tordue, mais je fais avec.

Je me tortille sous les couvertures quand Drew sort à nouveau du lit pour chercher la télécommande.

— Elle est là, dis-je.

Il effleure ma main exprès pour s'en emparer. Comme je m'y accroche, il m'attire à lui pour m'embrasser avec une lenteur exquise.

Puis il s'installe à mes côtés et je pose la tête sur son torse comme des milliers de fois auparavant. Mais pas tout à fait non plus.

Il zappe.

— *La Quatrième Dimension* ? suggère-t-il.

Je ne sais même pas pourquoi il pose encore la question.

« *Nous sommes transportés dans une autre dimension. Une dimension inconnue de l'Homme. Une dimension faite non seulement de paysages et de sons, mais surtout d'esprit…* » Puis commence la musique ringarde du générique.

Je saisis ses doigts sous la couette, il sourit discrètement et se rapproche de moi.

— Tu as faim ? me demande-t-il.

— Je meurs de faim !

— O.K., je commande chinois.

Remerciements

Donner naissance à un livre est loin d'être un processus solitaire. Et nombreuses sont les personnes qui m'ont aidée à transformer ce petit nuage d'idées en un véritable roman.

Je tiens tout d'abord à remercier mes amis et soutiens d'écriture, qui m'ont laissée me débattre, paniquer et poser des centaines de milliards de questions sur des centaines de milliards de choses à toute heure du jour et de la nuit : Tabitha Martin, Sara Taylor Woods, Dan Malossi, Liz Lincoln et Rachel Simon.

À mes amis géniaux qui ont lu pour moi et adoré Renley, Seth, Drew et ce que j'ai écrit : Darci Cole, Nazarea Andrews, Amy Reichert, Melissa Stevens, Jenny Kaczorowski et Juliana Brandt. MERCIIIIII !

Brett Jonas, TOI, je te dois une ligne entière, merveilleuse petite boule d'encouragement scintillante. Drew t'adore et moi aussi.

À mes amis en ligne, copains auteurs, blogueurs littéraires, lecteurs, vous êtes de véritables trésors. Chacun d'entre vous.

Bree Ogden, MERCI. Ce livre ne serait pas présent sur les étagères sans toi.

À mon incroyable relectrice, Nicole Frail, un grand merci pour ta perspicacité, et merci d'aimer Renley et d'avoir cru en son histoire.

À mes amis, qui croient en moi et m'encouragent même quand ça signifie que je dois rater des trucs, et pour à peu près tout : Rachel Chase, Luke Chase et Nicole Silvano. Vous êtes tout pour moi.

À ma famille, pour avoir cru avec passion en moi, en mes histoires et en ce que je fais. Merci tout particulièrement à mon père et ma grand-mère, ma mère, Chase (mon complice de mots), Makenzie et Taylor (merci de m'avoir laissée utiliser ton nom ;))

Pour finir, un énorme, énorme merci à mes garçons – Mal et Elias – d'avoir été si cool pendant que je les tenais sur mes genoux d'une main en écrivant de l'autre. Et à mon mari, Harry. Le garçon dont je suis tombée amoureuse au lycée, l'homme que j'aime aujourd'hui, merci d'être mon « Ils vécurent heureux… ».

Et merci à TOI, lecteur. Tout ça, c'est pour toi.

Achevé d'imprimer en France en février 2017 par Aubin Imprimeur

Le papier de cet ouvrage est composé de fibres naturelles, renouvelables, recyclables et fabriquées à partir de bois issu de forêts plantées expressément pour la fabrication de pâte à papier.

ISBN : 978-2-37102-094-8
Dépôt légal : mars 2017

Loi n° 49-956 du 16 juillet 1949 sur les publications destinées à la jeunesse, modifiée par la loi n°2011-525 du 17 mai 2011

Numéro d'édition : 0049-022-01-01

Numéro d'impression : 1701.0316